Le miroir noir

PICASSO, sources photographiques 1900-1928

Paris, musée Picasso
12 mars - 9 juin 1997

Réunion
des Musées
Nationaux

Cette exposition a été organisée
par la Réunion des musées nationaux
et le musée Picasso.

Elle a été coordonnée au Département des expositions
de la Réunion des musées nationaux
par Anne Fréling et Marie-France Cocheteux.

Sa présentation a été réalisée avec l'aide
des équipes techniques du musée Picasso.

Que toutes les personnes qui ont permis, par leurs généreux
prêts et leur soutien, la réalisation de cette exposition trouvent
ici l'expression de notre gratitude, et tout particulièrement :

Gilberte Brassaï, Ynes Cramer, Roland Doschka,
Catherine Hutin-Blay, Claudine Jusuf, Jan Krugier,
Bernard Picasso, Claude et Sydney Picasso, Marina Picasso,
Elisabeth Taylor, Jeanine Warnod, Maya Widmaier-Picasso
ainsi que toutes celles qui ont préféré garder l'anonymat.

Nos remerciements s'adressent également
aux responsables des collections publiques suivantes :
Liège, musée d'Art moderne et d'Art contemporain
Barcelone, museu Picasso

Paris, musée Picasso,
Paris, musée national de l'Orangerie
Perpignan, Médiathèque

Santa Barbara, The Santa Barbara Museum of Art,
Gift of Wright S.Ludington
Washington, National Gallery of Art

L'éditeur n'est pas parvenu à identifier certains ayants droit
de documents publiés dans cet ouvrage.

Illustrations de couverture :
Pablo Picasso
Nu aux bras levés
Paris, printemps 1908
gouache sur papier
Paris, musée Picasso

Edmond Fortier
Femme Malinké
Afrique occidentale, 1906
Collotypie (carte postale)
Paris, archives Picasso

ISBN 2-7118-3530-8
Ec 50 35 30

COMMISSAIRE

Anne Baldassari
conservateur au musée Picasso

assistée de :
Ivan de Monbrison

Conservateur général,
directeur du musée Picasso
Gérard Régnier

REMERCIEMENTS

L'ensemble des dessins présentés dans l'exposition
Le Miroir noir, Picasso, sources photographiques témoigne
du grand talent de Maria Bohusz, restaurateur en charge
du fonds graphique depuis la création du musée Picasso.
Sa disparition est une perte douloureuse pour toute l'équipe
du musée. Cet ouvrage est dédié à sa mémoire.

Mes remerciements vont tout d'abord à ceux qui,
par leur amical soutien, le prêt d'œuvres ou de documents,
ont contribué à la réalisation de cette exposition :
Heinz Berggruen, Gilberte Brassaï, Ynes Cramer,
Francine Dawans, Roland Doschka, Pierre Georgel,
Martine Gréciet, Robert Henning Jʳ, Catherine Hutin-Blay,
Claudine Jusuf, Jan Krugier, Quentin Laurens,
Françoise Lemelle, Maria Teresa Ocaña, Marina Picasso,
Bernard Picasso, Claude et Sydney Picasso,
Maya Widmaier Picasso, Earl A. Powel III,
Lionel et Noëlle Prejger, William Robinson, Alan Schestack,
Elisabeth Taylor, Javier Vilato, Richard V. West,
Jeanine Warnod.

Mes recherches ont amplement bénéficié des mises au point
effectuées à l'occasion de l'exposition franco-américaine
Picasso et le portrait sous la direction de William Rubin
et des érudites publications de Brigitte Léal et d'Hélène Seckel.

Je veux dire toute ma reconnaissance à Philippe David
qui a bien voulu me faire partager sa remarquable
connaissance de l'œuvre photographique d'Edmond Fortier
et à Christian Phéline dont l'apport a souvent été décisif
pour les vérifications historiques qu'appelaient certaines
hypothèses ici exposées.

Ce catalogue a également bénéficié de la compétence de
Geoff Blain, Jimena Blasquez, Hélène Borès, Anita C. Guntrum,
Evelyne Ferlay, Dominique Lacroze, Jussi Pylkkänen,
Jean-Michel Huguenin, Yves et Sylvain di Maria,
Sandra Poupaud, Michel Srauss, Handojo Susanto,
Assuncion Valdès.

La documentation iconographique de ce catalogue
a été rassemblée par Ivan de Monbrison avec l'aide
d'Hélène Rogier et de Pierrot Eugène ;
les travaux photographiques ont été conduits
par Caroline de Lambertye et réalisés par Michèle Bellot ;
les recherches documentaires ont été menées à bien grâce
au concours de Sylvie Fresnault et de Jeanne-Yvette Sudour.

L'exposition *Le Miroir noir* doit à Jérome Monnier
la restauration et la présentation des photographies ;
à Fabien Docaigne, Paule Mazouet et Véronique Balu
son suivi administratif ;
à Frank Besson, Vidal Garrido et Pierrot Eugène son installation ;
à Bernard Lagacé, Compagnie Bernard Baissait,
à qui l'on est également redevable de la qualité graphique
du catalogue, sa signalétique ;
à Yves Raffier, l'organisation de l'accueil et de la surveillance.
Qu'ils soient tous remerciés pour leur très efficace participation.

Je souhaite dire à mes interlocuteurs à la Réunion
des musées nationaux, Irène Bizot, Claire Filhos-Petit
et Bénédicte Boissonnas, Anne Freling et Marie-France Cocheteux,
Anne de Margerie et Bernadette Caille,
Alain Madeleine-Perdrillat, Michel Richard et leurs équipes,
combien leur aide et leur compréhension m'ont été précieuses
tout au long de ce cycle de trois expositions consacrées
aux rapports de Picasso avec la photographie.

Enfin, je ne saurais exprimer trop de gratitude à Gérard Régnier,
directeur du musée Picasso, pour le soutien et la compréhension
qu'il me prodigua dès le début d'une recherche engagée en 1993
et pour la préparation de cette exposition et de son catalogue.

A.B.

à Maria Bohusz

SOMMAIRE

Anne Baldassari

Fig. 1
Paulo sur un âne
Paris, 1923
Huile sur toile
100 x 81 cm
Collection particulière

Fig. 2
Anonyme
Paulo Picasso dans un jardin public
1923
Paris, archives Picasso,
don Sir Roland Penrose

« Croyez-vous que cela m'intéresse que ce tableau représente deux personnages ? Ces deux personnages ont existé, ils n'existent plus. Leur vision m'a donné une émotion initiale, petit à petit leur présence réelle s'est estompée, ils sont devenus pour moi une fiction, puis ils ont disparu, ou plutôt, ont été transformés en problèmes de toutes sortes. Ce ne sont plus pour moi deux personnages, mais des formes et des couleurs, entendons-nous, des formes et des couleurs qui résument cependant l'idée de deux personnages et conservent la vibration de leur vie »[1]. Ces propos de Picasso décriraient assez exactement le processus de transmutation qui s'engage dès que le regard de l'artiste s'arrêtant sur une photographie trouve une possible matière pour le dessin ou la peinture. Le choc sensible que l'image suscite chez lui sous-tend le travail plastique, disparaît tout en se « résumant » dans un autre registre : celui des formes et des couleurs. Chez Picasso, on le verra, une telle « émotion initiale » a cependant moins à voir avec la biographie affective qu'elle ne s'attache aux suggestions formelles des clichés.

Lorsqu'en 1994 fut engagée cette recherche sur les rapports de Picasso à la photographie[2], la partie concernant son usage comme *source* pouvait sembler à la fois la mieux entendue et la plus hypothétique. Au vu des six œuvres des années 1917-1919 que le catalogue Zervos signale comme faites « d'après une photographie »[3] et de quelques autres cas connus, il était fréquent de considérer un tel emploi comme un détour circonstanciel propre à la période dite de *retour à l'ordre*[4]. « Néoclassique », « ingresque »[5] ou « photographique », les trois termes ont souvent été utilisés indifféremment pour décrire une figuration d'apparence plus conventionnelle. La culture surréaliste de Roland Penrose le portait, il est vrai, à percevoir comment, en l'occurrence, « le sublime doit la vie au lieu commun »[6]. Le premier, il souligna quelle métamorphose opérait le dessin lorsque Picasso s'essayait à « copier des photographies ou des

---

1. Cf. Zervos 2, p. 176.
2. Les deux premières expositions du cycle organisé par le musée Picasso de Paris ont donné lieu à la publication de deux catalogues. Cf. Baldassari 1 et 2.
3. Tome III publié en 1949. Il s'agit des numéros 354 et 355, *Danseuses*, 359, *Femme tenant un vase*, 362, *Italienne*, 413, *Portrait de Renoir*, 431, *Paysans italiens*, auxquels s'ajoute le numéro 412, *La Famille Napoléon III*, « d'après une illustration ».
4. C'est d'ailleurs à cette période qu'appartiennent, pour la plupart, les quelques exemples recensés chez Picasso par Aaron Scharf ou Van Deren Coke. Cf. Scharf et Van Deren Coke.
   Carsten-Peter Warncke intitule significativement « Classicisme et photographie » le chapitre consacré aux années 1916-1924 de son ouvrage. Cf. Warncke, p. 245-304. Il propose, pour cette période, une analyse des rapports complexes entre les moyens propres à la photographie, notamment le caractère non hiérarchisé de sa représentation du réel, et un style à dominante linéaire.
5. S'il existe des indices d'un usage précoce de daguerréotypes dans l'œuvre de portraitiste d'Ingres (cf. Scharf, p. 49-52 et 332), le peintre, soucieux de défendre la spécificité de l'expression picturale, prit la tête d'une « Protestation émanée des grands artistes contre toute assimilation de la photographie à l'art » à l'encontre du jugement (Mayer et Pearson, cour d'appel de Paris, 10 avril 1862) qui, pour la première fois, étendit à une photographie la protection de la loi de 1793 sur la propriété artistique.
6. Cf. Penrose 2, p. 285.

cartes postales trouvées par hasard » ou ce que les grandes peintures de nus des années vingt emprun-
taient aux « retouches naïves et [au] coloriage des photographes bon marché »[7]. Au-delà de telles notations, l'utilisation par Picasso de photographies fut trop souvent réduite à sa portée documentaire ou à
l'évidence tautologique de la « ressemblance » entre œuvre et image-source. C'était bien sûr mécon-
naître le battement incessant que sa recherche manifeste alors entre pôles « naturaliste » et cubiste,
ignorer l'écart épistémologique séparant la photographie du dessin ou de la peinture comme les paradoxes propres à un tel dialogue entre médias[8]. Même une traduction aussi directe que l'huile de 1923,
Paulo sur un âne,[9] inspirée d'un cliché pris dans un jardin public, laisserait pourtant voir comment le
peintre recadre, réinterprète les proportions du sujet, l'arrache aux contingences de l'instant et du lieu,
l'érige en une sorte d'abécédaire pictographique (fig. 1 et 2). Fait pour que Paulo le comprenne, le
tableau nomme, qualifie chacune de ses parties : le ciel est bleu, transparent ; l'herbe, verte et herbue ; le
chemin, en terre ; l'âne, poilu de mille poils ; l'enfant a les joues roses et son habit blanc rayonne. Cette
peinture « par destination » met ainsi en évidence l'irréductible hétérogénéité des deux images : trace
instantanée de lumière et d'ombre ou agencement didactique de ligne et de couleur. Les sépare, enfin,
une décisive différence de *format*[10] dont le vis-à-vis imprimé ne peut que réduire la portée.

La pratique que Picasso, dès le début du siècle, put avoir des techniques photographiques montre
combien il était conscient de la force de *rupteur* culturel de ce médium. Picasso « photographe » sut
jouer aussi bien des paramètres propres à la prise de vue – cadrage, angle, profondeur de champ – que de
la mise en scène du réel ou des manipulations du support : caches, surcharges, traitement graphique…
Beaucoup plus qu'un intermédiaire commode vers une représentation illusionniste, la photographie
aurait été pour Picasso un moyen privilégié pour remettre en cause la *donne* de la vision. Mieux, c'est
sans doute au service de l'entreprise cubiste de déconstruction des apparences que ce moyen fut le plus
activement mobilisé. En témoigne le rôle imparti aux clichés de paysage pris à Horta-de-Ebro en 1909,
aux portraits de ses proches dans l'atelier du boulevard de Clichy en 1910-1911 ou aux arrangements
photographiques d'œuvres et d'objets, boulevard Raspail, en 1912-1913. Ceci laissait supposer que, de
manière plus générale, l'emploi de la photographie comme « source » ne pouvait se limiter à une équation
mimétique où « d'après » vaudrait « égalité ». Par ailleurs, Picasso entretint avec le modèle vivant un
rapport qui oscillait entre infinie scrutation – les « quatre-vingt ou quatre-vingt-dix » séances de poses
infligées à Gertrude Stein en 1906[11] –, dénégation – « Je ne vous vois plus quand je vous regarde »[12] –
et restitution différée, tel ce portrait de Dora Maar « fait de mémoire »[13]. Si le vis-à-vis cannibale du
peintre et de son modèle fut pour Picasso un thème pictural majeur, le dispositif tant matériel que sub-
jectif de la pose était, dans les faits, un obstacle plutôt qu'une stimulation. Et ce serait dans cette faille
de la perception – ne plus voir ce que l'on regarde – que le recours à la source photographique se serait
développé.

On en mesure mieux l'étendue depuis que l'étude des archives personnelles de l'artiste a permis
d'explorer le vaste stock d'images amassé tout au long de sa vie. Ce gisement méconnu recèle un
nombre surprenant de portraits photographiques du siècle dernier, la plupart au format dit carte de
visite, et de cartes postales présentant des types ethnographiques ou régionaux. Un ensemble qui se

7. *Id.*, p. 278-279 et 285.
8. Cf. Brodersen, p. 341-350.
9. Z VI 1429.
10. La toile mesure, en l'occurrence, 100 x 81 cm.
11. Cf. Stein 1, p. 54.
12. *Id.*, p. 60.
13. Ainsi qu'il est noté sur le dessin de 1936, *Portrait de Dora Maar*, Z VIII 289.

centre donc sur le *corps* : hommes, femmes, enfants, en pied ou en buste, dont un peu du rayonnement vital se montre encore sous la teinte assourdie des tirages à l'albumine ou des impressions industrielles. Peu à peu, au rythme des inventaires et des classements, des parentés avec l'œuvre peint, dessiné et même sculpté se sont imposées. Comme le suggère le nombre croissant de ces corrélations, c'est en réalité à chaque étape de sa trajectoire et au bénéfice des orientations plastiques les plus diverses, que Picasso aurait puisé dans l'imagerie photographique matériau ou prétexte pour son œuvre. Dans notre tentative pour explorer cette *terra incognita*, nous n'avons pris en considération que des documents dont la présence dans ses archives attestait que l'artiste avait effectivement entretenu un rapport avec eux. Dans chacun des cas étudiés, nous avons cherché à vérifier que la date des clichés concernés était bien compatible avec l'hypothèse envisagée et que celle-ci s'inscrivait de manière cohérente dans la logique des procédures créatrices propres à Picasso. Ce faisant, nous savions bien les limites auxquelles doit se tenir une telle recherche de « sources ». En effet, l'exceptionnel syncrétisme visuel dont procède l'œuvre de Picasso interdit à quelque hypothèse que ce soit de se vouloir exclusive. Aucun des rapprochements photographiques ici suggérés ne prétend donc infirmer les multiples autres références, picturales notamment, que la recherche picassienne a su déceler. Plus fondamentalement, on ne saurait oublier que tout emprunt extérieur cède en définitive devant « l'autonomie de la démarche picturale » et y trouve son vrai principe d'intelligibilité[14].

Le lecteur abordera, espérons-le, avec indulgence un travail dont nous assumons le caractère largement exploratoire. Il devra emprunter quelques-unes des passerelles, parfois inattendues, que nous avons cru pouvoir jeter entre le monde photographique de Picasso – les quelque 15 000 clichés qu'il avait réunis – et l'immensité de son œuvre. A cette étape, la recherche a dû se limiter aux trois premières décennies du siècle sans nullement prétendre, même pour cette époque, à l'exhaustivité[15]. L'attention se portera ainsi sur les affinités entre la non-couleur photographique et la monochromie picturale vers laquelle tend Picasso à partir de la « période bleue ». On approchera ensuite ce que le cycle des œuvres liées aux *Demoiselles d'Avignon* pourrait devoir à un important fonds d'iconographie coloniale détenu par l'artiste. Après une analyse de l'échange productif entre dessin et photographie tel qu'il se développe notamment entre 1914 et 1921, on tentera enfin de retracer, à partir d'un certain nombre de motifs picturaux majeurs de cette même période, la manière dont la photographie aura simultanément nourri un renouveau figuratif et les formes tardives du cubisme. Ce dernier chapitre se conclura, aux alentours de l'année 1928, par une évocation de l'apport de la photographie à l'invention d'une nouvelle sculpturalité.

Entre sources possibles et œuvres, des images en grand nombre seront ainsi présentées, suscitant parfois un dialogue bruissant de références, d'échos plus ou moins proches, d'effets retours. On comprendra que, dans les limites de son objet, un telle recherche s'expose, non sans crainte, à enfreindre le souhait de Picasso : « Je voudrais arriver à ce qu'on ne voie jamais comment mon tableau a été fait »[16].

14. Cf. Daix 2, p. 269.
15. L'étude du rapport peinture/photographie en matière de paysage ne sera notamment présentée qu'ultérieurement.
16. Cf. Zervos 2, p. 174.

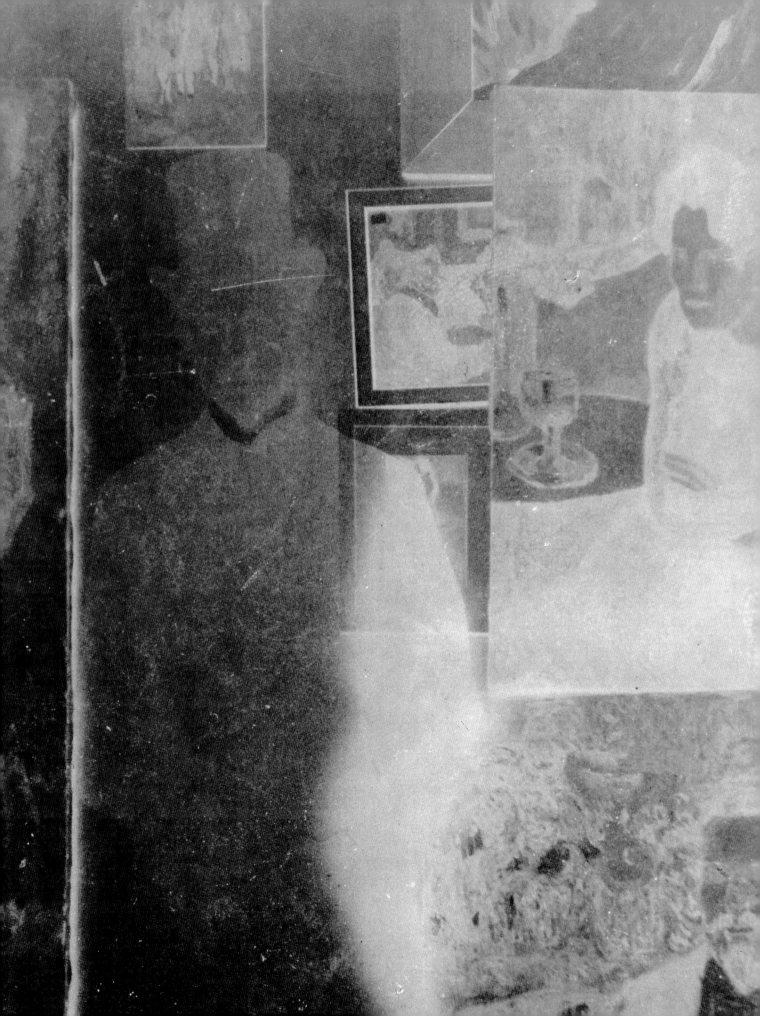

Le jugement du miroir

1 9 0 0 - 1 9 0 6 , d ' u n m é d i u m à l ' a u t r e ,

l e p a r a d i g m e m o n o c h r o m e

« Comme tous les purs peintres, Picasso adore la couleur *pour elle* »[17] écrit Félicien Fagus lors de l'exposition de l'artiste chez Vollard à l'été 1901. Que cette manière « pré-fauve » se démente dès la fin de l'année pour une quasi-monochromie ouvrant la voie à la « période bleue » ne laisse pas d'étonner. Tout a été écrit sur les connotations psychologiques de cette teinte, bien en accord avec les thèmes sentimentaux ou populistes alors développés. La question reste cependant ouverte de la signification proprement plastique d'un tel choix. On suggérera que la photographie, sa technique, son mode expressif propre pourraient paradoxalement offrir quelque élément de réponse. Un tel lien semblerait purement rhétorique si nous ne pouvions nous référer avec suffisamment de précision à l'usage que Picasso fit du médium photographique en ce début de siècle.

Il est désormais admis que les deux épreuves *Autoportrait dans l'atelier* et *L'Atelier bleu* découvertes il y a peu dans les archives de l'artiste[18] sont de sa main et que la première d'entre elles joue un rôle important dans le cycle pictural des autoportraits de l'année 1901[19]. Le cliché associe, par une audacieuse surimpression, la silhouette de l'artiste en chapeau haut de forme et un accrochage composite de toiles, pré-fauves et bleues (fig. 3). Il nous est apparu, depuis sa première publication, que l'énigmatique légende manuscrite, en espagnol, au dos de l'épreuve – « Cette photographie pourrait s'intituler : "Les murailles les plus fortes s'ouvrent sur son passage : Regarde !" » – pouvait paraphraser un passage des *Chants de Maldoror* où Lautréamont dépeint le Créateur alors qu'il quitte un lieu de crimes et de débauche, laissant sa victime écorchée des pieds jusqu'à la tête[20]. Cette peau cruellement arrachée serait ainsi la métaphore de ce projet surhumain : retourner la peinture sur elle-même. L'autoportrait en surimpression tel un « écorché » photographique, opère sur la personne de l'artiste semblable retournement. Le peintre mondain, presque « décadent », familier des cafés-concerts et des bordels, affronte la phase la plus solitaire de son travail. Dans l'image fantomatique qu'elle retient de l'artiste, l'impalpable émulsion sensible reflète cette sorte de dématérialisation volontaire. Le cliché, recto et verso, image et

---

17. Cf. Fagus.
18. Cf. Baldassari 1, p. 43-48 et 142-143.
19. L'hypothèse que nous avancions en 1994 a été reprise et développée par Pierre Daix (cf. Daix 5, p. 67-70), et Kirk Varnedoe (cf. Varnedoe, p. 120-124).
20. Il s'agit du *Chant troisième* où le témoin rapporte la fuite du dieu criminel au sortir d'un couvent-lupanar : « Les murailles s'écartèrent pour le laisser passer; les nonnes, le voyant prendre son essor, dans les airs, avec des ailes qu'il avait cachées jusque-là dans sa robe d'émeraude, se replacèrent en silence dessous le couvercle du tombeau », cf. Ducasse, p. 145-146. John Richardson a vu dans ce même *Chant* la référence de l'inscription « Les poils de ma barbe, quoique séparés de moi, sont des dieux aussi bien que moi » que Picasso aurait peinte sur les murs de l'atelier de Jaime Sabartès avant son départ de Barcelone en 1903, cf. Richardson 1, p. 287. Passé inaperçu lors de sa publication en 1869, le poème d'Isidore Ducasse fut, après sa réédition par Léon Genonceaux en 1890, remarqué par Léon de Gourmont et Alfred Jarry. Il était, bien avant son succès auprès des surréalistes, connu et apprécié dans les cercles symbolistes ou modernistes du début du siècle. Cf., notamment, Saillet.

suscription, célébrerait l'instant décisif d'une prise de conscience. Des années plus tard, le peintre évoquait peut-être ce moment de son cheminement lorsqu'il déclarait : « On peut se donner un mal horrible et s'arracher la peau tout d'un coup sur des toiles sans que personne vous y oblige. Au contraire, tout le monde s'en fout qu'on fasse ça ou autre chose. Et on choisit toujours le pire, même si on sait qu'ils aimeraient mieux un bouquet de fleurs »[21]. De nombreux bouquets avaient en effet été exposés chez Vollard à l'été 1901 et les scènes de genre y remportèrent un franc succès. Mais Picasso choisit alors le pire. Il oublie la couleur et va vers une peinture où la forme se réduit à une sorte de dessin par les ombres.

A cette évolution ne serait pas étranger le rôle technique assigné à la photographie dans un ensemble de clichés représentant des toiles peintes en 1901. Sans doute dus à Picasso, ces documents montrent en effet les œuvres en cours d'achèvement[22], comme si le peintre attendait de ces clichés de travail une information spécifique. Au cours de la décennie suivante, Picasso aura de fréquents échanges avec Daniel-Henry Kahnweiler à propos des photographies que ce dernier avait l'habitude de faire prendre de ses tableaux. Ainsi peut-il écrire, en 1913, à la réception de telles épreuves : « Elles sont très belles et me donnent raison. Ce sont les tableaux Ripolin ou genre Ripolin que son [sic] le mieux »[23]. Pour la période cubiste, le rapprochement entre photos d'atelier et œuvres achevées fait principalement apparaître des changements dans la composition. Il en va autrement des peintures de l'année 1901 où c'est plus souvent une modulation, parfois peu marquée, des valeurs chromatiques qui peut être décelée.

Mais, dira-t-on, en quoi une toile au colorisme exacerbé comme le *Portrait de Gustave Coquiot*[24] aurait-elle tiré parti d'un constat photographique ? Le cas mérite d'être étudié. Une première épreuve, presque floue, présente la toile sur son chevalet, déjà signée (fig. 4). Plein cadre, le tableau est cerné par la trace du châssis photographique de bois dont le dessin caractéristique est reconnaissable sur plusieurs des clichés pris par Picasso à cette époque[25]. Sur un second cliché, un cadre mouluré occupe la place du châssis (fig. 5) : l'un comme l'autre *recadrent* la peinture, manifestant la portée procédurale de cette prise de vue qui isole déjà de son environnement le tableau en cours d'exécution. Cette seconde épreuve en donne une vision plus contrastée. Des modifications sont perceptibles d'un cliché à l'autre dans le traitement du fond[26] ainsi qu'une accentuation des contours, tout particulièrement dans la partie droite. La photographie *Autoportrait dans l'atelier*, évoquée ci-dessus, montrait par ailleurs une version encore antérieure du *Portrait de Gustave Coquiot*[27] (fig. 3). Dans un tel cas, la prise de vue serait donc venue par trois fois consigner l'œuvre au cours de son élaboration. Ce constat distancié en jalonne l'avancée tel un

---

21. Cf. Parmelin, p. 98.

22. Dans certains cas, deux épreuves jumelles présentent la même toile avec des variantes dans le contraste obtenu au tirage ou dans la présentation, tableau encadré ou sur chevalet. On note également que certaines épreuves ne sont pas encore signées. De telles prises de vues, on le sait, furent également pratiquées par l'artiste pour des œuvres des années 1908 à 1911 (cf. Baldassari 1, chapitre IV). Aux clichés du début 1901 ici mentionnés, on doit ajouter une vingtaine d'autres épreuves consacrées à des toiles plus tardives de la même année ou de 1911-1917.

23. Lettre du 20 juin 1912 (Céret). De semblables propos sont tenus dans des correspondances d'avril-mai 1913 ou de juillet 1914.

24. Z I 84, D-B V 64.

25. Par exemple, le portrait d'homme ou l'autoportrait, datés de 1908, reproduits dans Baldassari 1, fig. 78 et 81.

26. On ne doit pas oublier que l'inégale sensibilité des plaques négatives alors en usage traduisait, au tirage, les jaunes et les rouges par des noirs tandis que les bleus apparaissaient quasiment blancs. Aussi, pour le cliché du *Portrait de Coquiot*, le nombril, fait d'une virgule jaune, de la danseuse de gauche ou le motif jaune du canapé s'impressionnent-ils en sombre sur les épreuves.

27. On notera le motif floral qui surcharge alors le canapé. C'est sans doute dans cet état que l'œuvre a été présentée chez Vollard.

journal et, selon toute probabilité, contribue à l'infléchir. En l'espèce, ce témoignage permet aussi de vérifier que Picasso pouvait simultanément opérer la synthèse de sa manière « pré-fauve » que représente ce *Portrait de Gustave Coquiot* et déjà explorer une voie picturale opposée. En effet, dans *Autoportrait dans l'atelier*, la toile côtoie un premier état de *Buveuse d'absinthe*[28], œuvre typique du tournant stylistique de la fin de l'automne 1901 (fig. 8). L'examen des photographies relatives à des toiles ultérieures[29] permettrait semblablement d'identifier les changements introduits par Picasso consécutivement à la prise de vue[30].

Les toiles photographiées au cours de l'année 1901 forment un ensemble d'œuvres où le style de la période bleue s'affirme progressivement : drapés, contours marqués, traitement en aplat, résorption du contraste chromatique… Une phase décisive de la novation picturale est donc singulièrement accompagnée par le relevé photographique. Le propre de celui-ci est de restituer la polychromie comme une gradation tonale : des lumières et des ombres. Dans ces épreuves sépia, le tableau est ramené à l'équation d'un camaïeu gris-brun. Une telle réduction permet de vérifier à coup sûr la lisibilité d'une construction ou d'un équilibre de valeurs. On pourrait voir dans cette confrontation de la peinture à l'image codifiée que lui renvoie la photographie, une réédition toute picassienne de ce « jugement du miroir »[31] que préconisaient les traités de la Renaissance. Alberti s'émerveillait : « Il est remarquable que toute erreur de peinture est accusée dans le miroir »[32]. Et Léonard de Vinci, recommandant également de s'en remettre à ce « maître des peintres », demandait : « Pourquoi voit-on mieux la peinture dans un miroir que sans lui ? »[33]. Plus près de nous, Manet confiait à Antonin Proust à propos du *Guitarero* de 1861 : « Après deux heures de travail, j'ai regardé dans ma petite glace noire : ça se tenait. Je n'y ai pas donné un coup de brosse de plus »[34]. Miroir, miroir *noir*. L'instrument évoquerait cette obsidienne polie dont Pline l'Ancien rapporte qu'elle « donne une vision plus mate que le verre et, dans les miroirs accrochés aux cloisons, ne rend en guise d'images que des ombres »[35], précisant ailleurs : « Ce n'est pas une image vraie ; les traits de l'objet sont rendus, mais les couleurs en sont plus ternes. C'est, en un mot, une représentation obscure de l'objet »[36]. Restituant du coloris la seule valeur, une telle vision n'en mesure que l'intensité et l'effet constructif. *Imagine umbras redente*, cette image par les ombres n'est pas sans points communs avec l'épreuve photographique. Aaron Scharf a d'ailleurs souligné ce que le style de Manet devait à l'expérience des clichés de son temps où l'éclairage artificiel et la

28. Z I 100, D-B VI 25.

29. Au cours des quelques mois qui séparent ces toiles des précédentes, l'artiste semble s'être procuré des plaques de type « orthochromatique » qui, sans approcher les performances des négatifs « panchromatiques » utilisés ultérieurement, autorisent une échelle des valeurs plus conforme à l'original : si les jaunes sont désormais rendus par des clairs et les bleus par des gris, les rouges restent très assombris.

30. Ainsi pour *Buveuse d'absinthe*, le cliché présente une version non signée où l'éclat de blanc manque au traitement de la bouteille et où le fond paraît plus soutenu. On note de même une accentuation des valeurs sombres sur la bouteille de *L'Apéritif* (Z I 98, D-B VI 24) ou un repeint des pieds du danseur figuré en arrière-plan de *La Gommeuse* (Z I 104, D-B VI 18). *Femme au chignon* (Z I 96, D-B VI 23) porte encore la signature « Picasso Ruiz » dont le second terme sera ultérieurement couvert par un repeint. Quant à *Femme accroupie avec enfant* (Z I 115, D-B VI 30), elle est photographiée dans un état avant signature où la tête de la jeune femme est auréolée d'une valeur claire, probablement le bleu céruléen de la partie centrale ; les valeurs très soutenues du fond en haut et à gauche témoigneraient de la présence de noirs que le bleu sombre de la toile achevée aurait recouverts postérieurement à la prise de vue (fig. 6 et 7).

31. Cf. Alberti, p. 195.

32. *Id.*

33. Cf. Vinci, p. 151.

34. Cf. Proust, p. 40-41.

35. Cf. Pline l'Ancien, Livre XXXVI, 196, p. 117.

36. Cité *in* Larousse, t. XI, première partie, article « miroir ».

Fig. 3
Autoportrait dans l'atelier
Paris, 1901
Epreuve gélatino-argentique
12 x 9 cm
Paris, archives Picasso

Fig. 4
« Portrait de Gustave Coquiot »
en cours d'exécution (I)
Paris, 1901
Epreuve gélatino-argentique
11,8 x 8,8 cm
Paris, archives Picasso

Fig. 5
« Portrait de Gustave Coquiot »
en cours d'exécution (II)
Paris, 1901
Epreuve gélatino-argentique
12,3 x 9,6 cm
Paris, archives Picasso

Fig. 6
« *Femme accroupie et enfant* »
en cours d'exécution
Paris, 1901
Epreuve gélatino-argentique
13,3 x 11,2 cm
Paris, archives Picasso

Fig. 7
Femme accroupie et enfant
Paris, 1901
Huile sur toile
110,5 x 96,5 cm
Cambridge, The Fogg Art Museum,
Harvard University,
legs Maurice Wertheim

Fig. 8
« Buveuse d'absinthe »
en cours d'exécution
Paris, 1901
Epreuve gélatino-argentique
16 x 11 cm
Paris, archives Picasso

faible sensibilité des plaques négatives induisaient un contraste de noir et de blanc éliminant la plupart des demi-tons[37]. Le peintre lui-même, dans un débat avec Thomas Couture qui avait été son maître, aurait affirmé que « la lumière se présentait avec une telle unité qu'un seul ton suffisait pour la rendre et qu'il était de plus préférable, dût-on paraître brutal, de passer brusquement de la lumière à l'ombre que d'accumuler des choses que l'œil ne voit pas et qui, non seulement affaiblissent la vigueur de la lumière, mais atténuent la coloration des ombres qu'il s'agit de mettre en valeur »[38]. Un programme très comparable serait appliqué par Picasso à l'automne 1901 : fort contraste des clairs et des sombres, brossage des fonds remplaçant les empâtements de la période antérieure, effets d'aplats, ombres colorées… Et le recours que le peintre y fait à la photographie s'inscrit en droite ligne du jugement « à la glace noire » pratiqué par Manet.

A cet égard doit être évoqué le propos recueilli par Christian Zervos : « Je vois souvent une lumière et une ombre. Lorsque je les ai mises dans mon tableau, je m'évertue à les « casser », en ajoutant une couleur qui crée un effet contraire. Je m'aperçois, lorsque cette œuvre est photographiée, que ce que j'avais introduit pour corriger ma vision première disparaît, et qu'en définitive l'image donnée par la photo correspond à ma vision première, avant les transformations apportées par ma volonté »[39]. Restent donc la lumière et l'ombre, la couleur « ajoutée » n'ayant eu qu'une fonction transitoire, heuristique. Cet effet de la photographie pouvait jouer de manière encore plus nette à l'époque pionnière où un négatif peu sensible ramenait uniment rouges ou jaunes à du *noir*, bleus ou verts à du *blanc*. L'usage de la prise de vue au cours du tournant pictural de 1901 serait en cela l'une des premières expériences faites par Picasso d'un jugement par la photographie, lui permettant de rapprocher sa peinture d'une « vision première » se résumant à « une ombre et une lumière »[40]. D'autres rencontres avec la photographie, contemporaines des premiers séjours à Barcelone, s'inscrivent dans cette même visée.

« UNE LUMIÈRE ET UNE OMBRE »

Le cas le plus précoce connu à ce jour d'une œuvre à référence photographique est l'illustration pour le poème de Joan Oliva Bridgman, *La Plainte des vierges*, publié en 1900 dans la revue catalane *Juventut*[41] (fig. 10). Comme l'a observé Josep Palau i Fabre[42], Picasso utilise directement un cliché, d'une esthétique toute pictorialiste, paru, quelques mois plus tôt, aux côtés d'un autre texte du même auteur, *L'Ode à Phryné*[43] (fig. 9). L'artiste modifie significativement la composition du cliché : « Picasso ajoute à l'arrière-plan une figure fantomatique masculine (…), incline un peu en arrière le corps de cette femme pour lui donner l'attitude d'abandon d'une dormeuse, (…) fait en sorte que le trait, par une fuite indéfinie, permette d'imaginer le bas de ce corps, lui-même indéfini »[44]. Ce constat peut s'enrichir à l'examen des dessins préparatoires qui s'essaient à d'autres interprétations de la photographie[45]. Le premier d'entre eux, une radicale étude à l'encre de Chine, fait surgir en réserve le corps blanc que la photo transfigurait par un éclairage dramatique (fig. 11). Dans ce dessin par les ombres s'exprime avec force

37. Cf. Scharf, p. 61-66.
38. Cf. Proust, p. 31-32.
39. Cf. Zervos 2, p. 173.
40. Cette perception réductive de l'objet par la lumière et l'ombre n'est pas éloignée de la technique de gravure « à la manière noire » à laquelle Picasso s'attacha à plusieurs moments de son œuvre.
41. *Juventut*, n° 22, 12 juillet 1900.
42. Cf. Palau i Fabre, p. 197-198.
43. *Juventut*, n° 11, 26 avril 1900.
44. Cf. Palau i Fabre, p. 197-198.
45. MPB 110.341, 110.341 R et 110.669.

le *valorisme* de Picasso[46]. Celui-ci traduit la posture du modèle comme un geste qui exposerait sa nudité[47]. Ce parti pris inspire les différents dessins où le bras rejeté en arrière, est saisi au moment où il écarte du buste le vêtement (fig. 12). Le crayon multiplie ce geste, donnant comme l'analyse chrono-photographique du mouvement par lequel la vierge tout à la fois s'offre et se détourne (fig. 13). L'illustration préférera, en définitive, l'image d'une femme assoupie que seul le sommeil dénude. Le hiératisme du modèle photographique est reporté sur la figure masculine[48]. Volume synthétique, bras le long du corps, l'homme hantant le songe de la vierge s'érige comme un dieu antique. On notera que l'empreinte visuelle du cadrage photographique joue un rôle singulier dans la coupe aux hanches de chacune des études de la figure de femme. De même, après avoir tenté de doter ses créatures de bras relevés et pliés, Picasso s'en tient à une simple indication pour l'un de ces membres tandis que l'autre se perd dans la matière charbonneuse du fond.

D'un nouveau séjour à Barcelone, celui de 1902, témoigne, retrouvée dans les archives de l'artiste, une petite silhouette d'homme en pied découpée dans un cliché de rue représentant le jeune Picasso[49] (fig. 15). Un dessin sous-titré « Picasso en Espagne », exécuté sur une lettre adressée à Max Jacob en juillet 1902[50] dérive à l'évidence de la photographie (fig. 14). Le découpage porte d'ailleurs sur ses bords des traces d'encre noire qui pourraient suggérer son utilisation en vue d'un report au moins partiel sur le papier à lettre. La *ligne* reste étrangère à l'image photographique qui n'exprime qu'un jeu de valeurs né de l'inégal noircissement des sels d'argent. Ici, la découpe de l'épreuve opère donc à la fois comme un dessin qui délimite et comme une gravure qui incise[51]. L'exercice pourrait s'être inspiré du procédé de fabrication des *sombras*, ces figures du théâtre d'ombres dont, à l'instar du *Chat Noir* parisien[52], le cabaret *Els Quatre Gats* avait fait une attraction. Picasso fut sans nul doute attentif aux expériences de Miquel Utrillo[53], l'artisan de ces spectacles[54]. Les *sombras* étaient exécutées dans un carton ou une tôle. Lors de la projection, elles se détachaient sur un décor translucide éclairé par l'arrière. De même, le découpage de la photographie isole son sujet en l'extrayant de son contexte. L'interprétation qu'en donne le dessin vient alors le « situer » dans un paysage emblématique : le vis-à-vis d'une église et d'une *plaza de toros*. On pourrait voir ici à l'œuvre la conception du portrait qui s'était affirmée, chez Picasso, à partir des années 1898-1899. Figuré sur un fond uni, le modèle y est distrait de son environnement familier

46. La même feuille porte un profil, inversé, où le sujet est vu en contre-plongée comme sur le cliché. Une étude de tête pour la figure masculine y apparaît également.

47. En cela, Picasso fait écho à l'histoire de la courtisane Phryné se déshabillant devant ses juges.

48. Des études pour cette figure (MPB 110.835 R, 110.293 R) s'accompagnent de dessins évoquant la statuaire égyptienne.

49. Jusque-là inconnu, ce découpage a été publié pour la première fois dans le catalogue de l'exposition du Museum of Modern Art, *Picasso and Portraiture, Representation and Transformation*, sous la direction de William Rubin, New York, 1996, Anne Baldassari, « "Heads, Faces and Bodies": Picasso's Uses of Portrait Photographs », p. 204. Sans doute découpé dans un cliché de photographe ambulant, il a été retrouvé dans une pochette portant la mention « Laurgraff, Fotografia Electrica Automatica, Calle Bailen (Bilbaina) Bilbao » et le numéro 766.

50. Cf. Seckel 3, p. 9-10. Cette lettre est expédiée de Barcelone.

51. Picasso tout enfant avait manifesté une exceptionnelle virtuosité à découper avec des ciseaux à broder « bonshommes » aussi bien qu'« animaux, fleurs, étranges guirlandes, combinaisons de figures », cf. Sabartès 2, p. 305.

52. Cf. Oberthür.

53. Pere Romeu, futur gérant d'*Els Quatre Gats*, et Miquel Utrillo avaient fréquenté *Le Chat Noir* et rejoint la troupe de Léon-Charles Marot, *Les Ombres Parisiennes*.

54. L'article de Mercè Doñate (cf. Doñate, p. 223-236) précise que les spectacles d'ombres inaugurés en décembre 1897 s'arrêtèrent avant l'été suivant. Il n'est donc pas assuré que Picasso qui rentre de Madrid en juin y ait assisté personnellement. Il était en revanche à Barcelone au début de l'année 1897, lors de la préparation de ces spectacles à laquelle participèrent les peintres Ramon Pichot et Ramon Casas.

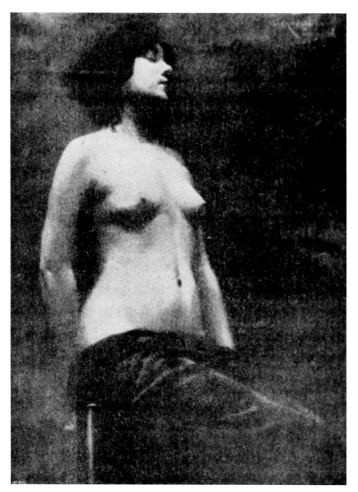

Fig. 9
Anonyme
Portrait de Christiansen
Illustration photographique
du poème de Joan Oliva Bridgman
Ode à Phryné
Juventut, n° 11, 26 avril 1900,
Perpignan,
médiathèque municipale

Fig. 10
La Plainte des vierges
Illustration du poème
de Joan Oliva Bridgman
Juventut, n° 22, 12 juillet 1900
Perpignan,
médiathèque municipale

Fig. 11
*Etudes pour l'illustration
de « La Plainte des vierges »*
Barcelone, 1900
Encre sur papier
46,9 x 30,9 cm
Barcelone, Museu Picasso

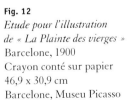

Fig. 12
*Etude pour l'illustration
de « La Plainte des vierges »*
Barcelone, 1900
Crayon conté sur papier
46,9 x 30,9 cm
Barcelone, Museu Picasso

Fig. 13
*Etudes pour l'illustration
de « La Plainte des vierges »*
Barcelone, 1900
Crayon conté sur papier
32 x 22 cm
Barcelone, Museu Picasso

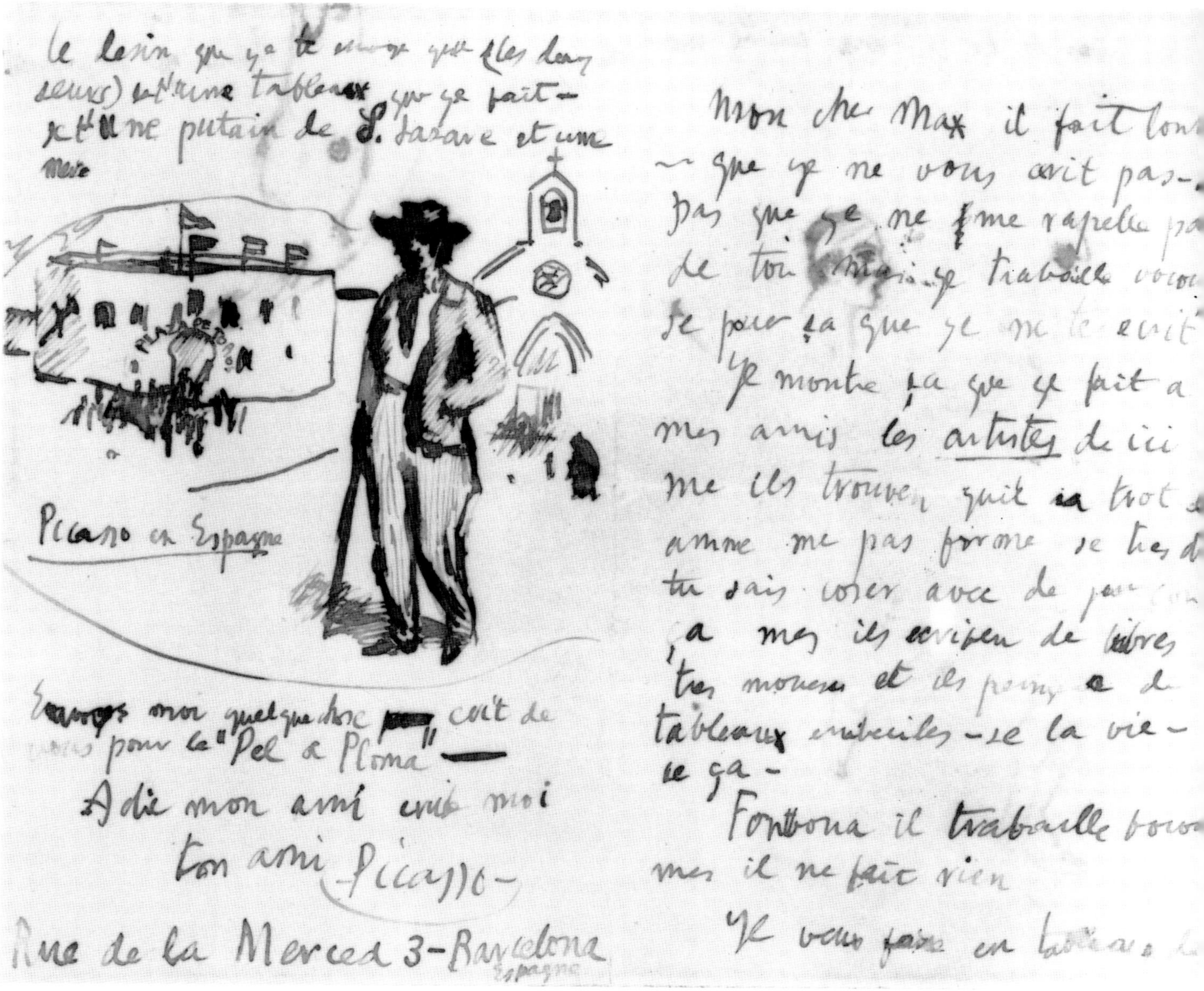

le dessin que je te envoye que (les deux seurs) est une tableaux que je fait — et une putain de S. Lazare et une mere

Picasso en Espagne

Envoye moi quelque chose écrit de vous pour la "Pel & Ploma" —

Adie mon ami écris moi

ton ami -Picasso-

Rue de la Merced 3 - Barcelona
Espagne

Mon cher Max il fait lon[illegible] que je ne vous écrit pas. Pas que je ne me rapelle pa[s] de toi mais je travaille bocou se pour ça que je ne te écrit

Je montre ça que je fait a mes amis les artistes de ici me ils trouvent quil ia trop d[illegible] amme me pas forme se tres d[illegible] tu sais coser avec de pa[illegible] ça mes ils ecrivent de libres tres mouvais et ils peint de tableaux imbeciles — se la vie — se ça —

Fontbona il travaille bocou mes il ne fait rien

Je vous faire un tableau [illegible]

Fig. 14
Picasso en Espagne
Barcelone, [juillet] 1902
Encre sur papier
(lettre à Max Jacob)
20,5 x 26 cm
Collection particulière

Fig. 15
Autoportrait à la canne
Barcelone, 1902
Découpage d'un portrait de l'artiste
(photographe anonyme)
Epreuve gélatino-argentique
et encre noire
7 x 4,3 cm
Paris, archives Picasso

Die kleine Köchin.

Fig. 16
E. Linde & C°
Die kleine Köchin
Londres, Berlin, vers 1880
Epreuve sur papier albuminé
rehaussée à l'aquarelle
(carte de visite)
Paris, archives Picasso

Fig. 17
Le Gourmet
Paris, 1901
Huile sur toile
90,2 x 68,3 cm
Washington,
The National Gallery of Art,
Chester Dale Collection

Fig. 18
Fillette au pendentif
Paris, 1901
Huile sur toile
(dimensions inconnues)
Collection particulière

Fig. 19
E. Linde & C°
Die ersten Blumen
Londres, Berlin, vers 1880
Epreuve sur papier albuminé
rehaussée à l'aquarelle
(carte de visite)
Paris, archives Picasso

pour ériger sa singularité. De son portrait datant de 1901, *Le Bock*[55], Jaime Sabartès écrivait ainsi : « C'est le spectre de ma solitude, vue de l'extérieur »[56]. Une telle approche inspirait déjà la série des croquis de ses amis catalans que Picasso exposa en février 1900 à *Els Quatre Gats*. Dans les premiers d'entre eux, les personnages sont représentés devant un arrière-plan descriptif. Puis l'artiste « simplifie progressivement ce fond, qu'il finit par éliminer pour centrer son intérêt exclusif sur le modèle »[57]. Proches des figures des spectacles d'ombres, de telles œuvres évoqueraient aussi bien l'origine mythique du portrait – le tracé d'une ombre portée[58] – que l'une des sources historiques de la photographie, ces « profils à la Silhouette » qui se limitaient à exprimer par une découpe noire sur fond blanc, le contour distinctif du modèle[59]. L'autoportrait *Picasso en Espagne*, combinant figure détourée, description au trait et environnement imaginaire, formule ainsi, dès le début du siècle, le paradigme fondateur associant chez Picasso, photographie, découpage et dessin[60].

En quelques mois, le peintre avait dû réunir la matière de son exposition de 1901 chez Ambroise Vollard. Si certaines de ces œuvres ont été réalisées à Madrid ou à Barcelone, il est probable qu'entre son arrivée à Paris, fin avril, et le vernissage, fin juin, l'artiste fut conduit à exécuter de nombreuses toiles[61]. Presque cynique dans le choix des thèmes, il multiplie natures mortes, paysages urbains, scènes de genre, portraits. L'urgence pourrait lui avoir dicté quelques sources d'inspiration. Conservé dans ses archives, un portrait carte de visite constitue à n'en pas douter une référence pour le tableau *Le Gourmet*[62], *L'Enfant blanc* du catalogue Vollard (fig. 16 et 17). Il s'agit d'une épreuve à l'albumine, enluminée à l'aquarelle : éclat rose du visage et des mains, bleu soutenu de la robe d'enfant. Appartenant à une série allemande à thème sentimental, elle s'intitule « Die kleine Köchin », la petite cuisinière. Picasso conservait toute une collection de tels clichés commerciaux retouchés ou coloriés. Leur attrait tient à ce qu'ils allient à l'exactitude photographique dans le rendu de l'espace et du sujet, la simplification d'une peinture en aplat. L'antagonisme de ces deux modes de représentation valeur/couleur trouve des échos dans son œuvre picturale depuis le début du siècle jusqu'au-delà du cubisme. Ici, la toile reprend l'essentiel de la composition photographique – un enfant debout de profil, vêtu d'une longue blouse et de bottines – tout en l'inversant latéralement. On le verra, un tel effet est fréquent dans les œuvres de Picasso faites d'après photographie. Est-ce à dire que l'artiste, pratiquant à contre-emploi le jugement du miroir, l'aurait appliqué à son examen des clichés ? Ce serait établir, à travers cette validation mutuelle, une équivalence entre réel réfléchi et réel photographié. Un cliché n'est en effet rien d'autre qu'un reflet bidimensionnel sur une plaque de verre sensibilisée pour en garder la trace. Soumettant une image photographique à l'épreuve du miroir, Picasso tenterait le parcours inverse d'une *réalisation* de l'image plane. Il suffit d'ailleurs de s'y essayer pour constater que, dès qu'elle est réfléchie, une telle vue prend comme une dimension additionnelle de profondeur, entre dans un espace

55. *Portrait de Jaime Sabartès (Le Bock)*, 1901, Z I 97, D-B VI 19.
56. Cf Sabartès 1, p. 72.
57. Cf. Palau i Fabre, p. 184.
58. Le mythe de la fille de Butadès de Sycione, dessinant l'ombre de son amant, est rapportée par Pline l'Ancien (cf. Pline l'Ancien, Livre XXXV, 151, p. 101).
59. Outre les « profils » dessinés à la fin du XVIIIe siècle à l'aide du *Physionotrace*, on peut notamment signaler les expériences de J. A. C. Charles qui aurait, dès 1780, projeté sur un écran des « profils » en utilisant un « mégascope solaire » et celles de Thomas Wedgwood qui tenta d'employer à la même fin les qualités photosensibles du nitrate d'argent.
60. Un jalon essentiel à cet égard serait un cliché, inédit jusqu'à 1994, où le profil de Picasso se détache en ombre portée sur le dessin d'une tête de trois quarts. D'une grande complexité représentationnelle, une telle image a pu être mise en rapport avec nombre de toiles des années 1925-1930, cf. Baldassari 1, fig. 57-58 et p. 82-87
61. Le catalogue de l'exposition ne mentionne pas moins de 65 numéros dont le dernier regroupe un ensemble de dessins.
62. Z I 51, D-B V 53.

optique à la fois plus incertain et plus « réel ». A l'inversion du sujet la toile ajoute cependant de multiples effets de transcription. La surface de la table est basculée en oblique, suscitant une vision plongeante. L'environnement flou de la photographie se traduit en un jeu de plis : arabesque de la nappe, des ombres, des lumières, du fond évoquant une tenture… Le tableau se donnerait ainsi à lire comme un morceau de toile onduleux qui, en son centre, se nouerait au cou de l'enfant telle sa serviette[63]. Quelques mois seulement avant les premières œuvres de la « période bleue », la dominante azur et le blanc de cette toile retraduisent sur un mode « couleur » emprunté à son enluminure, le camaïeu sépia et brun du cliché d'origine.

La toile *Fillette au pendentif*[64] serait également à mettre en relation avec un cliché (fig. 18 et 19), appartenant à la même série que le précédent, intitulé « Die ersten Blumen » : les premières fleurs, métaphore qu'éclairera le titre donné à la peinture dans le catalogue de l'exposition Berthe Weill, *Jeune fille*. La photographie ne montre qu'une fillette âgée tout au plus de quatre ans. Mais, assez grossièrement exécutée, la retouche en couleur lui donne cet air étrange de poupée vivante ou d'adulte naine. Ici aussi, la robe est repeinte, conférant au cliché sa dominante rouge[65]. La disproportion de la tête, si lourde sur la photo qu'elle semble tomber sur le buste, est traduite par la peinture comme l'effet d'une vue plongeante matérialisant le regard de l'adulte. C'est, en définitive, dans le cadrage que Picasso s'écarte le plus du cliché[66], rapprochant brutalement le sujet de l'observateur pour accentuer ce point de vue en surplomb. Quant au fond, il étend le motif floral à toute la surface du tableau. La toile exprime ainsi, par ses propres moyens, toutes les propositions de son modèle : sujet et mise en scène, vibration chromatique, échos symboliques.

PORTRAITS BLEUS

Avec les toiles inaugurales de la « période bleue » comme *Femme accroupie et enfant*[67] (fig. 7), la confrontation avec le miroir noir de la photographie se fait plus paradoxale. Dans un moment où l'intérêt de Picasso se porte vers une expression radicale de l'antagonisme ombre/lumière, sa peinture « bleue » témoignerait du choix d'une sorte de *non-couleur*. On sait en effet que, dans l'histoire de l'art occidental, l'azur fut la teinte réservée à la traduction « atmosphérique » de l'espace. Plus la forme se dissolvait par l'éloignement perspectif, plus le bleu prenait d'intensité. Il n'existait en quelque sorte qu'en proportion de la dématérialisation de l'objet représenté. Il était la non-couleur d'un non-objet : le bleu couleur, ou plutôt valeur, de la disparition. Ainsi que Françoise Viatte l'a fort bien noté à propos de la pratique classique du lavis d'indigo : « Le bleuissement partiel ou général de la feuille peut être compris comme un parti pris d'irréalisme, une distance arbitraire conduite jusqu'à son terme vis-à-vis de l'objet réel (…) La couleur unique favorise la reconstruction mentale d'éléments empruntés au réel

---

63. L'appellation *L'Enfant blanc* évoquerait d'ailleurs le tablier éclatant de la photographie se détachant sur les aplats de gouache bleu sombre et le sfumato du fond.

64. Z I 75, D-B V 68, présentée à l'exposition chez Berthe Weill en avril 1902.

65. Les rouges, bleus, verts de la photo coloriée inspirèrent sans doute le chromatisme de la toile qui n'est plus connue que par une reproduction noir et blanc. Celle-ci laisse au moins supposer que le carmin de la robe a fait place à une teinte plus claire. L'angle du corps est inversé latéralement.

66. Pour le reste, la coiffure, le visage avec la bizarre conformation des yeux trop écartés, la bouche, le carré de l'encolure, les petites manches ballons sont repris littéralement. Le pendentif qui donne l'un de ses titres à la toile prend la place d'une boucle de ceinture. Un certain embarras transparaît dans le traitement des bras, tenant sans doute au raccourci que l'un d'entre eux présente sur le cliché tandis que l'autre s'escamote derrière le bouquet. Dans une sorte de compromis, la toile joint les deux mains sur celui-ci.

67. Z I 115, D-B VI 30.

puis recomposés. C'est la forme provisoire du mythe, de l'histoire, de la légende »[68]. A la fin du siècle dernier, un historien de la perception chromatique, Hugo Magnus, écrivait à propos de l'Antiquité : « Les hommes de ce temps ne distinguaient dans le bleu que ses rapports avec la lumière. L'intensité lumineuse plus ou moins vive, voilà seulement ce que sentait la rétine ; le caractère propre du bleu, sa valeur chromatique, n'était pas encore capable d'exciter les éléments sensibles de cette membrane de manière à y produire une sensation réelle et spécifique de cette couleur »[69]. Il exprimait ainsi, sous une forme outrancièrement physiologique, une thèse fondée sur une étude attentive des langues anciennes. A l'extrême du spectre lumineux, le bleu serait donc une couleur éminemment moderne, une conquête culturelle récente de la perception. Picasso en fait le choix dans un moment où il s'essaie au maniement de la photographie. Coïncidence ? On penserait plutôt que l'enregistrement lacunaire qu'offre ce médium eut quelque raison de l'inciter à un tel appauvrissement chromatique[70]. Car, à ce point, que restera-t-il de la peinture saturée de pigments du début de 1901 ? Une image ternie, comme au miroir d'obsidienne, une sorte de grisaille qui ne laisse plus paraître que les valeurs du sombre et du clair : dessin rehaussé au lavis, esquisse à la détrempe, l'ombre d'une ombre. Pierre Daix a souligné ce que l'esthétique de la période bleue devait au « développement de l'expérience de la gravure »[71]. Un dialogue souterrain se tisserait également entre une peinture tendant vers la non-couleur et le registre expressif propre à la photographie. De ces toiles que l'on a pris l'habitude de désigner par leur coloris, les clichés témoignent comme d'un projet qui est d'abord graphique. Le bleu qui, dans la peinture classique, désignait la perte de l'objet, la fuite de l'espace, se ramasse ici à la surface du tableau, enroulements, plissés de toile, effets de drapés, formant le dessin d'une profondeur abolie. Ainsi, la période bleue, temps d'une peinture vouée à l'ombre et la lumière, serait fondamentalement *achrome*.

L'attrait du bleu serait aussi pour Picasso celui d'une couleur limite qui, peu de temps auparavant, avait été comme le symbole du scandale en peinture. Le chromatisme de Manet subit de front l'attaque de la tradition, par exemple lors du Salon de 1881 où le chroniqueur de *L'Univers illustré* écrivait : « Quand on voit aussi violet que cela, on se fait soigner par un oculiste »[72]. Ce thème de l'infirmité visuelle parcourt avec violence toute la réaction anti-impressionniste. Huysmans, qui ne fut pas le moins éclairé des critiques d'alors, parlait à propos de l'exposition des indépendants en 1880 de « l'indigomanie » de Caillebotte[73] ou du « péché du terrible bleu »[74]. De même, il traita Cézanne d'« artiste aux rétines malades qui, dans l'aperception exaspérée de sa vue, découvrit les prodromes d'un nouvel

68. Cf. Viatte, p. 78.

69. Cf. Magnus, p. 62.

70. Une telle monochromie irréaliste connaît quelques précédents dans l'œuvre du jeune Picasso, notamment, dès 1896, deux portraits de son père, de tonalité respectivement rouge et bleue (huile MPB 110.027 et aquarelle 110.281, pas dans Z). Une économie chromatique délibérément limitée est également à la base de sa peinture des années 1897-1899 parfois qualifiée de « période noire », cf. Palau i Fabre, p. 196-197.

71. Cf. Daix 5, p. 687.

72. Le jugement portait sur la toile *Eugène Pertuiset, le chasseur de lion*. Cité dans *Manet*, Martigny, fondation Pierre Gianadda, 1996, p. 204.

73. Cf. Huysmans, p. 257.

74. *Id.*, p. 259. Généralisant son propos, Huysmans poursuivait : « L'œil de la plupart d'entre eux s'est monomanisé ; celui-ci voyait du bleu perruquier dans toute la nature et il faisait d'un fleuve un baquet à blanchisseuse ; celui-ci voyait violet ; terrains ciels, eaux, chairs, tout avoisinait dans son œuvre, le lilas et l'aubergine, la plupart enfin pouvaient confirmer les expériences du Dr Charcot sur les altérations dans la perception des couleurs qu'il a notées chez beaucoup d'hystériques de la Salpêtrière et sur nombre de gens atteints de maladies nerveuses », p. 255.

75. Cité *in* Coquiot, p. 81.

76. Waltraud Brodersen a rapproché plusieurs cartes postales du début du siècle imprimées dans des tonalités bleues avec le *Portrait de madame Soler* de Picasso, cf. Brodersen, p. 290-291.

art »[75]. A l'été 1901, Picasso exposait justement chez Ambroise Vollard, le marchand de Cézanne et l'organisateur de la provocante exposition de 1895. C'est le moment pour lui d'une approche plus directe de l'œuvre du Maître d'Aix, de sa place dans la lignée des ruptures inaugurées par Manet et par l'impressionnisme. Le bleu, le violet, acquis de la sensibilité moderne, s'identifient désormais au courant de la révolution en peinture. Moyen d'une expressivité achrome, le bleu de Picasso peut aussi trouver à ses yeux le caractère théorique d'une « couleur-manifeste ». A la limite du visible, ce bleu que la photographie tente vainement de restituer, s'impose, à partir de 1901, comme le signe, la marque de sa nouvelle peinture.

A ce stade, un autre constat s'impose. Monochrome, la photographie de cette époque ne refuse pas, tout au contraire, les variations de tonalités. La diversité des papiers et des émulsions, de subtils procédés de virages permettent alors de multiplier des épreuves revêtant toutes les nuances du brun, du fauve, du vert, du rose, du bleu… Dans son aspiration à constituer une « photographie artistique », le pictorialisme des années 1890-1910 donnera à ces techniques un épanouissement sans précédent. Dès les premières années du siècle, le succès populaire de la carte postale[76] puis celui des projections cinématographiques[77] banaliseront à leur tour l'expérience d'images monocolores mais se déclinant dans toute une gamme de teintes froides ou chaudes. Dans ce contexte, un intérêt particulier s'attache aux divers procédés regroupés sous le nom de *cyanotype* et qui ont pour commune caractéristique de fournir des clichés d'un bleu soutenu[78]. Une telle épreuve a été récemment découverte dans les archives de l'artiste (fig. 20). Un jeune homme y pose devant un mur où sont accrochés une esquisse architecturale, un dessin, une reproduction d'art. Le profil du sujet se découpe, comme s'il était enserré par deux lames de verre, entre la paroi et la surface sensible. La troisième dimension n'est ici évoquée que par l'infime froissement des feuillets ou les replis de l'éventail. Visage, rectangles de papier, éventail forment ainsi un dispositif dénué de profondeur spatiale qui apparente fortement ce cliché à l'*Autoportrait dans l'atelier* et à l'*Atelier bleu*, auxquels le coloris du cliché fait symboliquement écho. La mise en scène « artiste » évoque le cercle des jeunes bohèmes que Picasso fréquentait alors[79]. Signe de raffinement esthète, l'éventail s'ouvrant dans le plan de l'image, plus que la tradition espagnole, évoque le Japon des estampes d'acteurs[80] ainsi que certains portraits de la peinture impressionniste[81]. L'effigie de ce jeune

77. Sur l'emploi des pellicules teintées ou virées, cf. Cherchi Usai, p. 95-109. Alors que, dès les toutes premières années du cinéma, s'était répandu l'usage du coloriage polychrome des pellicules, l'introduction de teintes unies ne « s'est faite que progressivement et sans bruit » au cours de la première décennie du siècle, avant de se généraliser entre 1908 et 1925. Le premier exemple cité est de 1901. Référence est également faite au teintage en bleu des scènes célestes de *The Motorist* de Robert Williamson Paul, en 1906.

78. La propriété de certains sels de fer de donner des épreuves de couleur bleue avait été remarquée par Sir John Herschell dès 1842. Celle-ci fut exploitée par de nombreux procédés servant au tirage photographique de plans ou de documents. Diverses qualités de papier ou de virage furent par ailleurs employées pour obtenir des épreuves artistiques de tonalité bleue.

79. On penserait notamment à l'accrochage que d'autres photographies font voir au mur du *Guayaba*, l'atelier de Joan Vidal Ventosa. Cf. le cliché de 1906 figurant en ce lieu Picasso et Fernande Olivier en compagnie de Vidal Ventosa, cf. Baldassari 1, fig. 9.

80. Cf. notamment les portraits d'acteurs du théâtre kabuki réalisés par Toshusai Sharaku en 1794-1795 qui présentent leurs modèles, féminins ou masculins, en buste, presque de profil, l'expression impassible et portant parfois l'éventail. Apprécié des amateurs européens dès les années 1860, Sharaku connaîtra sa consécration critique en 1910, avec l'ouvrage que lui consacrera Julius Kurth. On rappellera, par ailleurs, que des artistes japonais d'estampes comme Keisai Eisen popularisèrent à partir de 1830 la pratique d'estampes à tirage bleu monochrome.

81. L'éventail y apparaît dans les mains du modèle (*La Japonaise*, Monet, 1876, *Portrait de madame Camus*, Manet, 1866) ou comme élément du décor mural (*La Dame aux éventails, portrait de Nina de Callias*, Manet, 1873-1874, *Madame Monet lisant*, Renoir, 1872). Ce cyanotype pourrait également être rapproché de portraits où des estampes japonaises composent un fond de caractère emblématique, notamment le *Portrait d'Emile Zola* par Manet, 1868. Citons également une photographie d'Edward Steichen datant de 1904 qui présente une femme devant un mur où se devinent deux estampes dans le style d'Utamaro, cf. Françoise Heilbrun, notice 430, *in* Lacambre.

Fig. 20
[Pablo Picasso]
Jeune homme à l'éventail
[Barcelone, 1899-1900]
Cyanotype
5,3 x 5,6 cm
Paris, archives Picasso

Fig. 21
*Portrait de Ramon Suriñach
Senties*
Barcelone, 1900
Fusain sur papier
20 x 13 cm
Collection particulière

homme prend ainsi place au voisinage des portraits exposés à *Els Quatre Gats* en 1900. Un rapport plus étroit s'établit cependant entre le cyanotype et une œuvre sur papier peu connue, *Portrait de Ramon Suriñach Senties*, qui présente avec lui de multiples similitudes[82] (fig. 21). Au bleu de l'épreuve correspond un portrait au fusain sur un fond vierge où seul le noir vient marquer les ombres et un frottis de charbon moduler les demi-tons. Dès les portraits de ces années, la rencontre de la technique du dessin avec une photographie colorant ombre et lumière, prépare ainsi aux principes du graphisme qu'illustrera la « période bleue ». Ramon Suriñach Senties était d'ailleurs un jeune écrivain dont un historien du modernisme catalan écrira que ses « contes terribles de fous et de miséreux sont dans la même ligne noire »[83] que la peinture de Nonell ou de Picasso. Ce dernier illustrera le poème *Anyorament* par le dessin *La Boja* (La Folle)[84] dont le thème et le chromatisme sourd sont directement annonciateurs de la peinture à venir. On ne saurait non plus ignorer les parentés qui lient ce cyanotype au portrait de Casagemas par Picasso illustrant la notice nécrologique du jeune homme dans *Catalunya Artística*[85]. Picasso confiera plus tard à Pierre Daix : « C'est en pensant que Casagemas était mort que je me suis mis à peindre en bleu »[86]. Ce premier dessin, réalisé sur papier gris bleu, concentre déjà l'esthétique propre au cyanotype et les notations issues des études au fusain faites du vivant de Casagemas. Une sorte de gémellité s'établirait ainsi entre les deux jeunes gens, Suriñach et Casagemas, tous deux poètes décadents, « esprits noirs », et doubles de Picasso, nés la même année que lui, en 1881.

Le lien du médium photographique avec la peinture « bleue » se tisse également avec deux importants portraits réalisés au cours des années suivantes. En 1903, Picasso entreprend un tableau représentant son ami Sebastià Junyent (fig. 24). Faisant usage d'un portrait photographique, il recentre la composition sur le buste (fig. 25). Le visage est traité par des glacis superposant le bleu au rose et par de fines hachures cherchant une équivalence descriptive au cliché[87]. Le col relevé allonge le visage comme en référence au Greco. Quant au fond balafré de bleu, il répond picturalement au fondu atmosphérique de la vue de studio. Parmi les toiles expressionnistes de cette époque, ce portrait est le seul exemple d'une telle tentative de rendu naturaliste. La physionomie, isolée du reste de la toile par son traitement mimétique, semble comme incrustée, collée. Picasso pratiquera en d'autres occasions cette stratégie de fusion ambiguë entre illusionnisme optique et inachèvement pictural, notamment, lors de la période dite « classique », avec la toile *Olga dans un fauteuil*, également inspirée d'une photographie[88].

Le *Portrait de Jaime Sabartès*[89] date du moment où Picasso quitte de nouveau Barcelone pour Paris, en 1904 (fig. 23). Le modèle a, des années plus tard, relaté ce qu'auraient été les circonstances de son exécution au hasard d'un soirée maussade : « Je suis debout, immobile, à une certaine distance de son chevalet.

82. Le profil se découpe au centre d'un arc d'ogive auquel répond dans le cliché, légèrement décalé sur le côté, le tracé de l'étude d'architecture. Si le dessin force le trait, tendant, comme souvent dans cette séquence de portraits, vers la caricature, la ligne des sourcils, la forme du nez, le menton légèrement en retrait, le détail de l'oreille, la boucle qui croche curieusement sur le front se font écho d'une œuvre à l'autre. Quant à l'inversion latérale en miroir, elle se retrouve fréquemment dans de tels vis-à-vis.
83. Cf. Cirici Pellicer, p. 59.
84. Z VI 271, *Catalunya Artística*, 4 octobre 1900.
85. 28 février 1901.
86. Cf. Daix 3, p. 47 et Daix 1, p. 239-245.
87. La prunelle droite, ronde, bienveillante, pensive est identique. La pipe, absente, n'en assombrit pas moins la commissure droite de la bouche. De même, le chapeau du modèle laisse place à une tache sombre.
88. Cf. l'analyse faite de ce tableau au chapitre IV, p. 191-192.
89. Z VI 653, D-B X 11.
90. Cf. Sabartès 1, p. 107. Plaidant une certaine licence littéraire, l'auteur concède cependant dans l'introduction à ces souvenirs : « Ce que je souhaite, c'est créer de la chaleur autour des images de moi que Picasso voulut dessiner, les faire revivre et les enrichir des fragments de la vie de leur auteur, de lambeaux de la mienne ».

Ses yeux vont de la toile à moi et de moi à la toile »[90], laquelle aurait été terminée le lendemain « en une très brève séance »[91]. Un vrai portrait posé, en somme, et le rêve d'un Picasso désireux de s'attacher la compagnie de son ami : « Il a trouvé le moyen de me garder près de lui sans avoir besoin de parler »[92]. Et pourtant, le lien figural est frappant entre ce portrait et une photographie de Sabartès, le seul cliché ancien le représentant qui ait été conservé dans les archives de l'artiste (fig. 22). Cadrage légèrement décentré, posture, expression, éclairage, relief, tout permet de lire les deux images dans un jeu de miroir. Ne les sépare que la cravate fixée d'un bijou. Sensible au rendu de la perle ou au vermeil de sa bouche, le modèle se réjouira rétrospectivement de voir dans cette peinture quelque approche de la « période rose ». Du point de vue pictural, le style qu'il trouve encore « austère » tiendrait peut-être au *gel* propre à la prise de vue photographique qu'accuse, comme dans le *Portrait de Sebastià Junyent*, la précision de l'exécution picturale. Dernière observation : le cliché de Sabartès porte à son revers le dessin d'un profil d'homme, une tête barbue qui n'a pu être identifiée. Ce croquis atteste au moins que Picasso regarda cette épreuve le crayon à la main. L'envie irrésistible qui le prenait parfois de travailler aurait alors pu l'engager à entreprendre sur le champ le portrait de son ami. Plutôt que la compagnie du modèle, la sollicitation visuelle d'une photographie serait ainsi à l'origine de la toile.

Sans lien direct avec une peinture précise, un cliché d'Indien latino-américain détenu par Picasso (fig. 26) mérite d'être rapproché d'un motif qui parcourt son œuvre tout au long des années 1901-1903, celui des personnages aux bras croisés, étroitement serrés contre leur corps, tels *Buveuse d'absinthe* (fig. 8), *Femme aux bras croisés*[93], *Homme en bleu*[94] (fig. 27), *Les Pauvres au bord de la mer*[95]. Ce tirage n'appartient vraiment ni au registre du type ethnographique ni à la photographie de genre. Ce serait plutôt l'un de ces clichés de police antérieurs à la codification bertillonnienne, où suspects et vagabonds étaient souvent figurés ainsi, en buste, de face, assis, les bras ramenés vers l'avant. La veste en lambeaux, le foulard de chiffon avouent la détresse du corps qu'ils recouvrent. Le visage stupéfait, autant qu'une indicible souffrance, traduit une sorte d'indifférence aux circonstances de la prise de vue, comme si le modèle s'absentait de ses sensations et de son propre destin. La photographie, coupée à mi-cuisse, centre l'attention sur les membres supérieurs. L'homme semble chercher quelque chaleur, se prenant littéralement « à bras le corps » pour se tenir en vie, physiquement aussi bien que symboliquement. Picasso aurait donc eu quelque raison de garder d'une telle image cette posture, où s'expriment à la fois la dérive aveugle de l'esprit et une résistance chevillée au corps. L'artiste a pu confier que *L'Homme en bleu*[96] était un fou de Barcelone[96] ajoutant cependant : « les modèles restent mais les artistes voyagent ». Portrait sur le vif ou peint de mémoire ? Plusieurs études, un fusain[97], un crayon[98] (fig. 28), une encre[99], sans doute préparatoires à ce tableau, présentent le personnage en pied, le corps de face, le visage dirigé à l'inverse de la photo. Les traits, la chevelure sombre et bouclée, la barbe entière sont, sans nul doute, ceux du « fou » catalan sans que cela n'exclue, pour le reste, le gabarit visuel du cliché. Si le buste est traité fermement, une hésitation s'observe dans le traitement des jambes qui, dans l'un des dessins, font l'objet d'une seconde étude. Comme si Picasso avait dû inventer des membres inférieurs

91. *Id.*, p. 107-108.
92. *Id.*, p. 107.
93. 1902, Z I 105, D-B VII 7.
94. Hiver 1902-1903, Z I 142, D-B VIII 1, MP 5.
95. 1903, Z I 208, D-B IX 6.
96. Cf. Daix et Boudaille, p. 215.
97. Z I 135.
98. Z VI 402, Succ. 352 R.
99. Z VI 464, MP 453.

Fig. 22
Anonyme
Jaime Sabartès
[Barcelone, 1904]
Epreuve gélatino-argentique
12,6 x 8,7 cm
(dessin au crayon au verso)
Paris, archives Picasso

Fig. 23
Portrait de Jaime Sabartès
Barcelone, 1904
Huile sur toile
49,5 x 38,1 cm
Collection particulière

Fig. 24
Portrait de Sebastià Junyent
Barcelone, 1903
Huile sur toile
73 x 60 cm
Barcelone, Museu Picasso

Fig. 25
Studio Napoléon
Sebastià Junyent
Barcelone, [1903]
Epreuve gélatino-argentique
12 x 8 cm
Paris, archives Picasso

au torse étroit, creux, ceinturé, du cliché d'Indien[100]. Le tableau définitif se recentre sur la tête et le rapport regard/bras croisés. Tel un symptôme, une énorme et ancienne[101] blessure de la couche picturale désigne cependant cette ligne de coupe. L'accident vient éclater la peinture tout juste comme le costume de l'Indien se déchiquette sur un corps famélique. La plupart des œuvres de ces années qui reprennent la posture aux bras croisés présentent d'ailleurs cet indice d'une coupure entre taille et jambes[102]. De même, plusieurs dessins à la plume ou au crayon de l'année 1902-1903[103] arrêtent à mi-cuisse leurs figures. La persistance d'un cadrage photographique peu usuel est donc manifeste en même temps qu'elle conduit à inventer autant d'approximations pour s'intégrer aux codes de la figuration picturale. Ni tête, ni buste, ni portrait en pied, ce tronçon de corps serait pourtant l'expression la plus adéquate de ces personnages privés d'eux-mêmes, l'Indien vagabond ou ses doubles dans la peinture.

LA FAMILLE SOLER, PHOTO DE STUDIO ET DÉ-SUBLIMATION PICTURALE

Classiquement accompagné des portraits symétriques des deux époux (fig. 29 et 31), le tableau de groupe *La Famille Soler*[104] voit, en l'année 1903, culminer la relation photographie/peinture (fig. 33 et 35). Située entre le portrait de Junyent, soucieux de réalisme photographique, et celui de Sabartès, où un certain expressionnisme faisait retour, la toile transfère à échelle monumentale un simple cliché de studio[105]. A la médiocre scénographie de la prise de vue répond le prosaïsme de la commande : Picasso paie en tableaux les vêtements que lui confectionne son tailleur, Benet Soler Vidal. L'ampleur du triptyque dressé à la gloire du mécène barcelonais en serait presque farce. Posant sous une verrière, devant un fond de toile unie, les personnages perdent tout relief, leur silhouette détourée par l'éclairage brutal de l'atelier semblant décalquée sur l'arrière-plan vacant. Aucune ombre sur les faces aplaties, vidées d'expression, réduites à des masques. Yeux, prunelles, bouches, nez s'écarquillent, comme médusés. Tous fixent un même point, à gauche de l'objectif, et le chien lui-même partagerait leur hypnose. Le décor rudimentaire – deux palmiers nains, des chaises, une improbable barrière de branchages factices – put suggérer une irrépressible association : la mise en scène d'un groupe dans la nature, un déjeuner sur l'herbe. En cette année 1903, le peintre travaille à sa grande allégorie, *La Vie*[106]. A cette métaphore surchargée de projections personnelles ou symboliques répondrait cet autre tableau, célébration de la vie familiale. Celle-ci, libre de toute intention narrative, pourrait s'en tenir à l'exposé des faits : les corps sous la lumière, leurs traits signalétiques, sexe, taille, vêtement. Banalité de l'existence comme des émotions, l'enjeu serait de rendre l'évidence en peinture. Une transparence du propos peu fréquente chez le Picasso de ces années qui prise encore quelque peu la tradition académique des « grandes machines » ou de la peinture « à thèmes ». Mais commence alors la paradoxale

---

100. Dans le dessin *Le Fou*, au tracé hasardeux des jambes s'ajoute une esquisse de paysage, simple ligne d'horizon qui partage le feuillet à hauteur des hanches, exactement là où la photo coupait son cadrage. Dans l'étude à l'encre *Portrait d'homme barbu*, le bord du papier arrête le dessin à ce même niveau.

101. Cette lacune apparaît déjà dans une photographie d'atelier prise en 1908 (cf. Baldassari 1, p. 151). Cette toile, conservée par l'artiste jusqu'à la fin de sa vie, ne fut jamais restaurée alors que le peintre, en 1913, n'hésita pas à repeindre tout le fond de *La Famille Soler* qui avait été dénaturé, cf. *infra*.

102. Ainsi pour *Femme aux bras croisés* (Z I 135), dont les jambes repliées présentent une curieuse saillie sur la gauche ou *Homme barbu les bras croisés* (Z XXII 9, MP 472), dont le visage occupe la même position que dans la photo et qui est coupé aux hanches. Dans *Pauvres au bord de la mer*, l'homme, serrant ses bras, se détache sur un fond marin dont la ligne le partage à mi-corps.

103. *Femme assise les bras croisés* (Z I 105, D-B VII 7), *Vieillard debout les bras croisés* (Z I 139), *Femme assise aux bras croisés* (Z I 114, D-B D VII 10), *Nu assis aux bras croisés* (Z I 112).

104. Z I 203 et 204, D-B IX 23.

105. Identifié en 1994 dans la succession de l'artiste, ce cliché a été publié pour la première fois dans Baldassari 1, p. 19.

106. Z I 179, D-B IX 13.

transmutation qui ne peut copier une photographie sans baigner dans le trouble de son irradiation seconde, de sa dimension immatérielle.

A ce stade, l'environnement factice d'où naît la scène champêtre rencontre bien sûr, dans l'imaginaire de l'artiste, le grand tableau de Manet et sa forêt d'atelier, plus proche des toiles peintes d'un théâtre ou de celles d'un studio de photographe, que de toute vraie nature. Ainsi s'aiguise encore le paradoxe du fac-similé, la dialectique du vrai, du fabriqué, du représenté. La toile s'élabore au double miroir de la photo et du *Déjeuner sur l'herbe*[107]. Sur le cliché, puis sur la peinture, madame Soler occupe la place que Manet avait réservée à son modèle nu, le regard fixé vers le public. En pendant de son épouse, Soler se rapprochera de la pose, jambes allongées, de l'homme de droite dans la peinture. Picasso le vêt d'une veste de chasse et lui passe une cravate rouge semblable à celle du rapin de Manet. L'homme porte désormais sur un genou son fils qui, dans la photo, se tenait sur un haut tabouret. Une interversion s'opère entre deux autres des enfants. Le garçonnet vêtu de sombre se trouve alors placé au sommet d'une composition classiquement pyramidale, là où Manet avait peint sa baigneuse accroupie. Picasso le dote d'une mèche épaisse qui n'est pas sans rappeler sa propre coiffure d'enfant. Le jeune héritier se dresse, le regard droit dans nos yeux. Ainsi se rétablit la juste hiérarchie des rôles : entre père et épouse, grand frère et petite sœur. A présent assise aux côtés de sa mère, celle-ci reçoit l'attribut féminin d'une longue chevelure tandis qu'a disparu de son visage l'inquiétude qu'exprimait la photographie[108].

Des glissements qui n'ont rien d'arbitraire s'opèrent par ailleurs, de proche en proche, entre la photo et chacune des deux peintures. Occupant le centre du cliché, le chien est translaté pour venir prendre la place optique de la nature morte chez Manet. Celle-ci trouve alors son équivalent picassien : l'ellipse du plateau, pour celle du panier ; un lièvre mort au lieu du feuillage aux cerises ; la bouteille ordinaire à la place de la fiasque d'argent. Entre-temps, les fruits ont roulé sur la nappe. Cette nappe qui, chez Manet, était la robe du modèle dévêtu, s'inscrit là où la photo disposait, toute blanche, la toilette endimanchée de la petite fille. Elle laisse alors voir la toile crue du tableau et s'ancre en son milieu comme l'emblème du tailleur Soler. Dans sa construction triangulaire, le tableau reste cependant fidèle à l'alignement des personnages, parents et enfants, dans un même plan. L'étagement en hauteur et l'absence de profondeur perspective, de relief ou d'ombres, concourent à un dispositif alors inédit chez Picasso. Les figures s'inscrivent de bas en haut plutôt que d'avant en arrière. A cette planéité s'ajoute l'effet d'un traitement pictural où la couleur, à peine brossée, est parfois réduite à quelques traces, comme dans le rendu de la nappe. Atteignant un rare point d'abstraction, le fond uni bleu renforce, comme par l'effet d'un *détourage*, la brutalité des signes figuratifs. Le paradoxe d'un tel tableau tient à la coexistence de deux projets. Puiser à la « ressemblance » que le cliché photographique est censé attester. Contrarier cette tentative mimétique par des procédés picturaux délibérément anti-illusionnistes : brossage, réserve, détourage, aplats, contraste des valeurs… La parenté avec le projet du *Déjeuner sur l'herbe* s'avère ainsi plus fondamentale qu'une simple citation iconographique. A l'un et l'autre tableau pourrait s'appliquer la formule de Françoise Cachin : « L'ambiguïté vient de ce que, parodie, fruit d'une gageure, d'une gaminerie, il témoigne aussi de l'ambition la plus haute, prouver par le truchement de

---

107. Sur d'autres références à Manet dans l'œuvre de Picasso et sur les variations autour du *Déjeuner sur l'herbe* datant du début des années 60, cf. Bernadac, p. 33-46.

108. On notera, par ailleurs, que lorsque Picasso ne voit pas tel objet ou détail figuré dans le cliché, il ne cherche pas toujours à l'inventer dans le tableau. Ainsi, pour le garçon, une main est visible, l'autre non, une jambe oui, l'autre escamotée. Posées sur la fausse barrière, les mains de la fillette se retrouvent dans la prairie. Picasso imagine en revanche une main à la mère, allongée sur le genou. On la retrouve presque à l'identique dans le *Portrait de madame Soler*. Mais elle renverrait aussi bien à la main du compagnon de la femme nue dans le *Déjeuner sur l'herbe*, qui, semblablement, rejoint la jambe. On pourrait lire de même la chaussure de Soler, tranchant en brun sur le fond, comme un écho à celle de l'étudiant frôlant le pied nu de la jeune femme.

Fig. 26
Anonyme
Portrait d'homme
[1860-1880]
Epreuve sur papier albuminé
14,6 x 11,2 cm
Paris, archives Picasso

Fig. 27
*Portrait d'homme
(Portrait bleu)*
Paris-Barcelone,
hiver 1902-1903
Huile sur toile
93 x 78 cm
Paris, musée Picasso

Fig. 28
*Homme debout,
les bras croisés*
1902
Fusain
45 x 33 cm
Collection particulière

Fig. 29
Portrait de madame Soler
Barcelone, 1903
Huile sur toile
100 x 73 cm
Munich, Neue Pinakothek

Fig. 30
Anonyme
La Famille Soler (détail)
Barcelone, [1903]
Epreuve gélatino-argentique
12 x 16 cm
Collection particulière

Fig. 31
Portrait du tailleur Soler
Barcelone, été 1903
Huile sur toile
100 x 70 cm
Saint-Pétersbourg,
musée de l'Ermitage

Fig. 32
Anonyme
La Famille Soler (détail)
Barcelone, [1903]
Epreuve gélatino-argentique
12 x 16 cm
Collection particulière

Fig. 33
La Famille Soler
Barcelone, été 1903
Huile sur toile
150 x 200 cm
Liège, musée des beaux-arts

Fig. 34
La Famille Soler
Etat du tableau avec le repeint
exécuté par Sebastià Junyer
Vidal, d'après une reproduction
dans Zervos (I, 204)

Fig. 35
Anonyme
La Famille Soler
Barcelone, [1903]
Epreuve gélatino-argentique
12 x 16 cm
Collection particulière

la peinture des Maîtres – Raphaël via Marc-Antoine et Giorgione – qu'on pouvait réussir avec des moyens picturaux simplifiés et résolument neufs, à produire un "chef-d'œuvre contemporain" »[109]. L'ambivalence de *La Famille Soler*, son excentricité plastique dans l'œuvre du Picasso d'alors, tiendraient pour l'essentiel au jeu de double contrainte auquel le peintre se serait soumis. Faire d'après photo mais ne le faire que par les moyens bruts de la peinture. En ce sens, Pierre Daix a eu raison de préciser que Picasso avait ici voulu « montrer et se montrer que la peinture pouvait s'approprier chacun des effets de la photographie et les réaliser bien plus fortement qu'elle »[110]. Le travail de raréfaction signifiante qu'engageait la fruste photographie de studio se trouve en effet exprimé « bien plus fortement » sur la toile. On a pu, non sans raisons, rapprocher un tel tableau des compositions du Douanier Rousseau. La naïveté voulue du langage pictural se limite à signaler les figures comme le ferait l'imagerie populaire, afin qu'au premier coup d'œil, chacun reconnaisse le père et la mère, distingue les garçons des filles, repère le nouveau-né. Il s'agirait plus d'une qualification générique des rôles familiaux que de portraits des individus. Mais ce tableau trop « simple » est, dans le même temps, travaillé par la complexité de ses références antagoniques : vérisme photographique, haute culture picturale – la Renaissance revue par Manet –, imagerie, modernité stylistique (le japonisme des avant-gardes), modernité chromatique : le bleu théorique de la mal-voyance…

La comparaison est instructive avec les portraits que Picasso peint des deux époux Soler et pour lesquels, à l'évidence, il prit pour point de départ la même photographie. On n'en mesure que mieux l'écart séparant l'image typologique donnée du cercle familial et une figuration qui, aussi sommaire soit-elle, n'abandonne pas toute visée identitaire. Madame Soler[111] retrouve la pose qui était la sienne sur le cliché et même l'orientation déportée de son regard face au photographe (fig. 29 et 30). La main droite qui tenait l'enfant s'allonge – à l'instar de la gauche inventée par le peintre –, dans un geste qui reste celui de la protection maternelle. Quant au chemisier, son traitement oscille entre un rendu minutieux du bras droit et une manche gauche que désigne un invraisemblable artefact de bleu et de blanc, dotant la femme du tailleur du membre le plus curieux du monde. L'artiste dira un jour que ce qu'il voulait, c'était *nommer* les choses[112]. Ici, en effet, il « nomme » ce bras, invisible sur le cliché, bien plus qu'il ne le montre. Le portrait de Soler[113] est d'un caractère encore différent (fig. 31). Il s'inscrirait plutôt dans la lignée de ceux consacrés, la même année, à Àngel de Soto[114] ou à Sebastià Junyer Vidal[115]. Séquence de portraits virils d'une esthétique expressionniste jouant du contraste entre fond et personnage. Les bleus devenus noirs laissent têtes et mains se dilater. Autour de visages où jaune et rouge se hasardent à mimer les couleurs de la vie flottent des mains livides, inachevées[116]. Les trois tableaux obéissent ainsi chacun à des intentions différentes. Pour le père, portrait d'homme à la table d'un café, dont la matière emprunterait sa virulence au caractère extraverti du modèle. Pour l'épouse, maternité hiératique où se mêlent le parfum de la soie – tons nacrés que le peintre se devait de restituer avec une préciosité à la Vélasquez – et une touche de négligé disant l'intimité, et cette domestication des sens plus cruellement exprimée, dans le cliché, par le col étranglé d'un nœud. Pour la famille, le rouge, le bleu, le vert d'une peinture faite autour et pour les enfants, déclinant l'imagerie chère aux petits garçons et aux

109. Françoise Cachin, notice « Le Déjeuner sur l'herbe », Cachin et Moffett, p. 170-171.
110. Cf. Daix 5, p. 326.
111. Z I 200, D-B IX 24.
112. Cf. Parmelin, p. 28-29.
113. Z I 199, D-B IX 22.
114. Z I 201, D-B IX 20.
115. Z I 174, D-B IX 21.
116. Pour Soler, Picasso réutilise, en l'inversant, la posture de la photographie à laquelle sont également empruntés la dissymétrie des bras, le costume, le regard, la coiffure échevelée.

petites filles : chasse et fusil, chien et lièvre, fruits, l'aventure d'un déjeuner en forêt. La juxtaposition de ces trois points de vue *expose*, au sens propre, la querelle des apparences et les enjeux qui divisent la peinture entre académisme et modernité.

Le sort ultérieur de *La Famille Soler* donne d'ailleurs la mesure du désarroi que provoqua son ambiguïté. Le commanditaire, n'aimant pas ce fond bleu, abstrait, obtint de Picasso la permission de l'agrémenter d'un décor de sous-bois, peint par Sebastià Junyer Vidal, qui faisait comme un retour à Manet (fig. 34). Mais, en 1913, Kahnweiler racheta la toile. A cette occasion, Picasso décida de rétablir le fond initial, non sans avoir tenté d'insérer les figures dans une composition cubisante dont nulle trace n'a été gardée[117]. Intéressante tentative qui n'est pas sans écho dans sa peinture d'alors où des références à des motifs, le plus souvent aperspectifs, empruntés à la culture populaire, se trouvent incrustés dans le puzzle du cubisme analytique. Dans le même temps, le retour opéré sur cette œuvre vieille de dix ans jalonne le mouvement que le peintre amorce alors vers la figuration. Un autre avatar, de grande portée, attendait cependant *La Famille Soler*. Entré dans les collections du Wallraf-Richartz Museum de Cologne, le tableau fut saisi par le régime nazi comme relevant de l'« art dégénéré » puis vendu au musée des beaux-arts de Liège. On pourrait s'en étonner s'agissant d'une telle allégorie de la quiétude familiale, œuvre de commande, attachée semblait-il à la plus conventionnelle notion de « ressemblance ». De leur point de vue, les censeurs nazis ne s'y sont pas trompés. Dé-naturée plutôt que « dégénérée », cette œuvre l'est au moins par l'atteinte, subtile mais radicale, que la photographie d'abord, Picasso ensuite, portent au réel autant qu'aux convenances de la représentation. Sujets réduits à des découpes blafardes, plate superposition de figures et d'une abstraction monochrome : en effet, une injure au sens commun.

HOLLANDE, ÉGYPTE, L'INCARNATION PHOTOGRAPHIQUE

On ne possède que peu d'informations, en dehors du témoignage qu'en conservent les dessins de ses carnets[118], sur le voyage que Picasso fit en Hollande au début de l'année 1905. L'artiste en rapporte quelques gouaches de tonalités rose et bleue qui marquent un tournant de son œuvre. Parmi elles, *La Hollandaise à la coiffe*[119] étonne par son caractère de portrait (fig. 37). Des hypothèses peu concluantes ont pu être faites sur l'identité d'un modèle qui aurait accepté de poser nue pour le jeune peintre[120]. Trois clichés du siècle dernier semblent de manière mieux assurée source de la peinture. Deux d'entre eux présentent la même jeune fille de trois quarts gauche, portant des coiffes traditionnelles, chapeau de paille tressée ou bonnet orné de fleurs et de rubans (fig. 40 et 41). La dernière photo, une autre femme en chapeau, est faite de face (fig. 36). D'assez grand format, ces images détaillant coiffure et visage n'ignorent pas l'individualité de leur sujet. *La Hollandaise à la coiffe* présente avec le cliché de face nombre de similitudes : même inclinaison de la tête, bien qu'inversée latéralement, expression de la physionomie, arrondi volumineux des épaules et des seins… On a beaucoup parlé du choc qu'aurait ressenti Picasso devant la monumentale blancheur des femmes du Nord. On peut voir ici comment le peintre dénude son modèle photographique. Le dessin maladroit – la main en particulier –, l'anatomie peu vraisemblable dénotent ce caractère de reconstitution imaginaire, de fantasmatisation. La rêverie éveillée que l'artiste poursuit devant le cliché n'évoque en rien les caricatures inspirées par son expérience des bordels ni ses scènes d'étreinte amoureuse. Elle traduirait plutôt la contemplation méditative

---

117. Cf. Penrose 1, p. 87.
118. Glimcher n° 33 et 34. Cf Léal, vol. 1, p. 81-96, carnets MP 1855 et 1856.
119. Z I 260, D-B XIII 1.
120. Les hypothèses évoquées par John Richardson vont de la fille du facteur de Schoorl à une prostituée d'une ville voisine, cf. Richardson 1, p. 381.

Fig. 36
Anonyme
Portrait de jeune fille
Hollande, vers 1880
Epreuve sur papier albuminé
15,3 x 11 cm
Paris, archives Picasso

Fig. 37
Hollandaise à la coiffe
Schoorl, été 1905
Huile, gouache et craie
sur carton parqueté
78 x 67,3 cm
Brisbane, The Queensland
Art Gallery

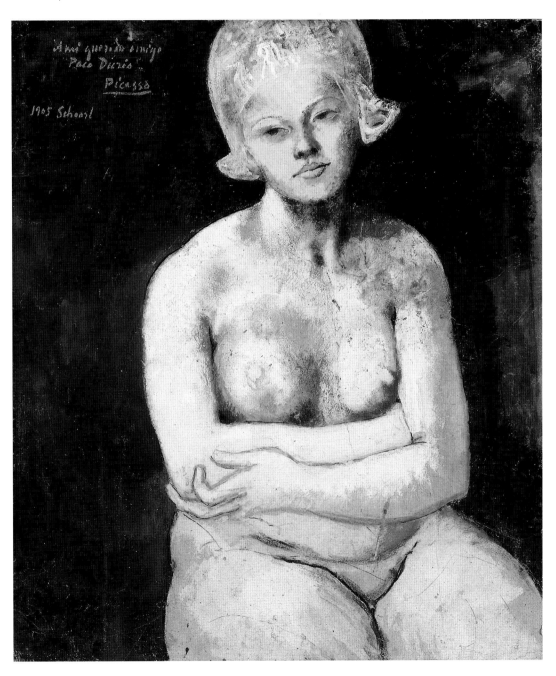

Fig. 38
Les Trois Hollandaises
Schoorl, été 1905
Gouache sur papier
collé sur carton
77 x 67 cm
Paris, musée national
d'art moderne

Fig. 39
Anonyme
Portrait de jeune fille
Hollande, vers 1880
Epreuve sur papier albuminé
15,3 x 11 cm
Paris, archives Picasso

Fig. 40
Anonyme
Portrait de jeune fille à la coiffe
Hollande, vers 1880
Epreuve sur papier albuminé
14,6 x 11 cm
Paris, archives Picasso

Fig. 41
Anonyme
Portrait de jeune fille au chapeau
Hollande, vers 1880
Epreuve sur papier albuminé
16,2 x 11 cm
Paris, archives Picasso

Fig. 42
Edition A. Dubosq,
Commes, Calvados
Jeune fille à la coiffe
Epreuve sur papier albuminé
rehaussée à l'aquarelle
(carte de visite)
Paris, archives Picasso

qu'impose le mystère de l'incarnation photographique. *Les Trois Hollandaises*[121] pourraient également être vues comme la mise en scène de ces trois clichés juxtaposés dans l'espace (fig. 38). On y retrouve le chapeau et les coiffes de coton brodé dont un des carnets donne des études de profil[122]. Le cercle formé par les trois femmes reprend celui qui, dans d'autres dessins[123], unit père, mère et petite fille en dialogue au bord d'un canal. On connaît également un croquis de Hollandaise tenant un panier[124] qui, comme les autres dessins sur le vif, s'agrégerait aux gros plans photographiques pour fournir les éléments de la composition finale.

A ce point, il peut être noté que les archives de l'artiste conservent de nombreux exemples de cartes postales présentant des types régionaux : groupes en pied, femmes en costumes ou, plus souvent, portraits en buste, centrés sur le visage et la coiffe[125]. L'exemple des peintures hollandaises suggère l'une des voies d'interprétation d'un intérêt aussi constant. Parure typique, signe distinctif, la coiffe, dans un déplacement proprement fétichiste, serait ici équivalent et substitut du sexe dévoilé au regard, conjuration du désir comme de l'effroi dont cette nudité peut être l'objet. C'est, en effet, à ce moment précis de l'œuvre de Picasso que le nu féminin apparaît comme sujet à part entière : représentation d'un corps de femme et non plus succédanés académiques ou grivoiserie juvénile. Dans le même temps, la coiffe-fétiche érige son invraisemblable architecture symétrique de broderies, de gaufrage, de plissés dont les exemples normands conservés par Picasso disent assez le caractère de leurres phalliques (fig. 42). Elle désigne et dissimule la chevelure féminine de la même manière paradoxale que Picasso, inventant un sexe à la Hollandaise, ne peut le peindre qu'étrangement nu. A cette levée ambiguë de l'interdit visuel fera d'ailleurs suite une longue variation sur le thème de la coiffure où les gestes de l'attouchement, de la torsion, du brossage chercheraient à approcher l'énigme de la séparation des sexes.

Les archives Picasso recèlent un ensemble de quelques photographies orientalistes qui, par leur ancienneté et leur qualité, se distinguent du reste du fonds. Ce sont des épreuves sur papier albuminé datant des années 1860 à 1880. Quatre d'entre elles, paysages d'Egypte ou types indigènes, portent des légendes et des numéros d'ordre comme les clichés, parfois réunis en album, qui étaient alors communément proposés aux voyageurs. Deux autres tirages, de plus petite dimension, présentent des figures féminines en costume oriental. Enfin, une épreuve porte le cachet du photographe Gugliemo Pluschow[126]. Plusieurs de ces tirages paraissent bien avoir été utilisés par Picasso comme source de travail pictural au cours des années 1905 et 1906. On pourrait ainsi identifier un cheminement où deux de ces clichés, conjugués à des références picturales que les exégètes ont bien su repérer, nourrissent la chaîne d'œuvres allant de *La Femme à l'éventail*[127] à *La Toilette*[128] et à *Jeune Fille à la chèvre*[129]. Mais, pour densifier encore ce jeu de permutations ou de glissements, on trouvera d'autres de ces tirages au cœur d'une séquence reliant *Les Deux frères*[130] aux *Adolescents*[131] et au *Harem*[132]. On le verra, tout se

---

121. Z I 261, D-B XIII 2.
122. MP 1855, 1 R et 2 R.
123. MP 1855, 4 R et 5 R.
124. MP 1855, 3 R.
125. Werner Spies a signalé le cas plus tardif d'une image de Bretonne en coiffe et costume que Picasso colla sur une page de carnet, cf. Spies 1, p. 150 et 153. Il met ce cliché, intitulé « Etude de coiffe et de costume de Bretagne », collé dans le Carnet 213, en rapport avec deux dessins datant de 1929 du Carnet 1044.
126. Ce cachet à l'encre rouge mentionne pour adresse « 34, Via Sardegna, Roma ».
127. Z I 308, D-B XIII 14.
128. Z I 325, D-B XV 34.
129. Z I 249, D-B XV 35.
130. Z I 304, D-B XV 9.
131. Z I 324, D-B XV 11.
132. Z I 321, D-B XV 40.

passe comme si, dans la solitude de l'atelier[133], Picasso croisait aux matériaux tirés de son expérience du monde ou de sa lecture de l'histoire de l'art – tour à tour, Ingres, Cézanne, la statuaire antique ou l'art égyptien – les suggestions plastiques de ces quelques épreuves. Comme s'il faisait se réverbérer au miroir plombé de leur existence oubliée, l'évanescence de la vie immédiate et la durée sans fin des œuvres du passé. Postures, corps, gestes, drapés résonnent ainsi de l'un à l'autre des clichés et des toiles emplissant l'orbe esthétique et culturelle où l'artiste se déplace entre 1905 et 1906. On a beaucoup écrit sur cette « première période classique » de Picasso[134] et sur ce qu'elle devrait à ses visites aux salles antiques du Louvre. On sait également la part décisive qui revient à la découverte de l'art ibérique ancien auquel archéologues et hommes de musées se plaisaient, au début de ce siècle, à trouver des traits « phéniciens ». Un autre Orient travaille cependant la peinture de cette époque. Philippe Dagen a pu écrire à propos de l'art de Matisse, Derain et Picasso au début du siècle : « L'Egypte, avant l'Afrique mêlée d'Océanie du cubisme prochain, a tenu lieu de "patrie rêvée" à ces trois peintres »[135]. S'agissant de Picasso, le rêve serait, autant que par la statuaire, porté par cette Egypte photographique où de vivants personnages antiques s'érigent dans un désert de signes restant à décrypter. Leur énigme commanderait, elle aussi, l'accès des périodes que l'on a dites « rose » ou « ocre ». La question chromatique ne s'y résoudrait pas à un revirement psychologique ou à l'influence du terroir de Gosol[136]. Elle participerait également d'une expérience toute matérielle où la peinture emprunterait un peu de sa couleur à cette photographie, sels d'argent, gomme arabique et onguent d'albumine : sépia, jaune, couleur d'ocre, avec, pour finir, ce rosissement ineffable qu'apporte la brûlure chimique du soleil et du temps. Ce serait la trace chromatique d'un voyage au pays des morts. Du cyan au magenta, d'une extrémité à l'autre du spectre, Picasso continuerait d'explorer méthodiquement les confins, presque équivalents à ses yeux, du champ colorique : « Combien de fois au moment de mettre du bleu j'ai constaté que j'en manquais. Alors j'ai pris du rouge et l'ai mis à la place du bleu. Vanité des choses de l'esprit »[137]. Bleu/rose. Non pas tellement nuances de l'humeur affective, symboles alternés d'affliction et de joie de vivre. Mais étalons de valeurs d'un monde ancien où, indigo, lapis, pourpre, la couleur – rouge ou bleue – s'attache au corps même des êtres et des choses.

Important tableau de l'année 1905, *La Femme à l'éventail* (fig. 43) a fait l'objet d'une étude de Meyer Schapiro[138] qui souligne ce que le geste du bras levé doit au *Tu Marcellus Eris* d'Ingres et les liens de cette toile avec *La Toilette* peinte l'année suivante. Le signe du miroir y remplacerait celui de l'éventail comme métaphore de la palette, de la peinture. Ces mystérieuses figures de profil ont suscité l'hypothèse d'une référence à la statuaire égyptienne[139]. Mais elles doivent sans doute autant au cliché figurant deux jeunes indigènes du désert nubien posant, dos à dos, devant l'*opus incertum* d'un mur ancien (fig. 44). La parenté est forte entre le modèle de gauche et le personnage du tableau. La position du

133. Fernande Olivier a bien laissé entendre de quel silence et de quel secret le peintre avait l'habitude d'entourer son travail (cf. notamment sa correspondance avec les Stein lors du séjour à Horta-de-Ebro à l'été 1909).

134. Pour Roland Penrose, par exemple, une peinture comme *La Toilette* « montre la parfaite maîtrise du répertoire grec », cf. Penrose 2, p. 148. Sur ce premier « classicisme » de Picasso et l'Antiquité, cf. notamment, Pool, p. 122-127 et Parigoris, p. 23-32.

135. Cf. Dagen, p. 300.

136. Parmi beaucoup d'autres, Theodore Reff parle ainsi d'une « nouvelle tonalité, ni spirituelle comme le bleu, ni sentimentale comme le rose, mais chaude, lumineuse et naturelle comme la terre ocre de Gosol même », cf. Reff 3, p. 26.

137. Cf. Tériade.

138. Cf. Schapiro 1.

139. Notamment, Jean Leymarie qui, évoquant « le frémissement de la vision réelle » dont serait née *Femme à l'éventail* parle également de « la stylisation hiératique d'un bas-relief égyptien » (cf. Leymarie, p. 1) et Pierre Daix, qui fait référence aux « visites de Picasso à la section d'art égyptien du musée du Louvre » (cf. Daix 5, p. 337).

Fig. 43
La Femme à l'éventail
Paris, 1905
Huile sur toile
99 x 81,3 cm
Washington,
The National Gallery of Art,
don W. Harriman Foundation

Fig. 44
C. et G. Zangaki
Deux sœurs bicharines
Egypte, [1860-1880]
Epreuve sur papier albuminé
28 x 21 cm
Paris, archives Picasso

Fig. 45
Nu tenant un miroir
Gosol, été 1906
Encre et plume
25 x 17 cm
Collection particulière

Fig. 46
Etude pour « La Toilette »
Gosol, été 1906
Fusain sur papier beige
62,2 x 40,7 cm
New York, collection
The Alex Hillmann
Corporation

Fig. 47
Anonyme
Femme kabyle
[Algérie, 1860-1880]
Epreuve sur papier albuminé
24 x 17,5 cm
Paris, archives Picasso

Fig. 48
Deux frères, de face
Gosol, été 1906
Gouache sur carton
80,3 x 60,2 cm
Paris, musée Picasso

Fig. 49
Jeune fille à la chèvre
Gosol, été 1906
Huile sur toile
146 x 114 cm
Merion, Barnes Foundation

Fig. 50
Anonyme
Femme et enfant
Egypte, 1860-1880
Epreuve sur papier albuminé
27,3 x 21 cm
Paris, archives Picasso

bras, légèrement rectifiée pour tenir l'éventail[140], se retrouvera littéralement reprise dans *La Toilette*. L'emprunt au drapé de la ceinture est également manifeste. Plusieurs études préparatoires à l'œuvre de 1906 interprètent l'excroissance du nœud d'étoffe, sur la poitrine du modèle, comme le sein du personnage. Le plus remarquable est que, comme pour boucler la démonstration de Schapiro, la baguette tenue presque à la verticale fournit directement le profil du miroir ainsi que cela apparaît explicitement dans l'esquisse *Nu tenant un miroir*[141] où l'objet est réduit à un trait semblant tenir en équilibre sur le doigt (fig. 45).

Pour cette séquence de 1906, Picasso aurait également utilisé un autre cliché, celui d'une jeune Berbère en pied (fig. 47). Il en reprend assez exactement les pantalons bouffants serrés à la cheville qui apparaîtront dans plusieurs dessins[142] conjugués avec la ceinture drapée et nouée sur la hanche[143] (fig. 46). A ce même tirage peut être associé le traitement de l'espace des études pour *La Toilette*[144] comme de sa version finale : le partage de l'arrière-plan entre sol et mur y est identique jusque dans leur léger contraste de valeurs. Avec *La Femme à l'éventail*, au contraire, le détourage du modèle sur un fond uni éludait l'environnement minéral propre à la photographie. Le lien qui unit les deux œuvres ne s'en exprime que plus fortement dans le contour des personnages, le profil du visage, les ombres, le modelé subtil de la lumière sur la chair mate. Il en résulte une sorte d'épure, d'abstraction, qui, dans l'incarnation picturale du modèle vivant, puise aux sources de l'art ancien. La photographie peut en effet conférer aux corps l'immobilité de la statuaire. Mais Picasso sait, en même temps, y déchiffrer ce qui fait de cette jeune femme sa presque contemporaine. Ainsi la peinture peut-elle allier, dans son étrangeté, le frémissement encore perceptible du vivant et une sorte d'idéalisation transhistorique.

De cette *Femme à l'éventail* à *La Toilette*, le thème du miroir nous ramène, par une autre voie, à la photographie. Devant l'objectif, les deux sœurs sembleraient s'ignorer. L'une dresse son bâton tel un sceptre. L'autre, bras repliés, mains en éventail, baisse les yeux. Dans sa symétrie, ce dos-à-dos fonctionne cependant comme un miroir à l'envers. Ce serait deux faces, deux âges d'un même sujet que la caméra fixerait avec ce double profil égyptien. Picasso dut être suffisamment sensible à cette mise en scène triangulaire pour vouloir la traduire dans son propre langage. Il suffirait de retourner les deux jeunes filles face à face pour que l'une contemple son image dans le miroir-bâton que l'autre lui tendrait. Celle dont le geste de pudeur retenait une toile dénouée dirait sa nudité ; l'autre où tout exprime le savoir, l'Histoire, lui renverrait son image. Vis-à-vis semblable à celui des deux protagonistes de *La Toilette* : le nu, le peintre. Dans ce retournement spéculaire, Picasso commente aussi ce qui sépare peinture et photographie dans une même prise de possession des corps. D'un côté, l'effacement feint du photographe, toujours hors-champ ; de l'autre, le combat incessant du peintre et du modèle. Et pourtant, ici et là, le vivant sous le pouvoir du regard : le miroir comme Loi.

Longtemps datées de 1905 puis rapportées à l'œuvre réalisée lors de l'été 1906 passé à Gosol, des toiles « hellénisantes » comme *Les Deux frères*[145] (fig. 48) ou *Deux Adolescents*[146] pourraient également

---

140. On notera, en revanche, que dans le dessin préparatoire à l'encre (Allen Memorial Art Museum, Oberlin College) auquel Schapiro fait référence (cf. Schapiro 1, p. 115), la main gauche, au lieu d'être levée, repose sur l'autre avant-bras dont la position est la même que sur le cliché. John Richardson (cf. Richardson 1, p. 422) met le tableau en rapport avec une *Femme à l'éventail* de Vélasquez et affirme qu'il eut pour modèle vivant une Montmartroise du nom de Juliette. Un dessin (Z VI 651), ne figurant qu'un visage de profil, porte en effet cette inscription mais cela reste loin d'épuiser les sources visuelles que condense le tableau de 1905.

141. Z XXII 430, D-B XV 29.

142. Z XXII 431, 432, 433, respectivement D-B XV 32, 30 et 31.

143. Ce vêtement ne sera cependant pas conservé dans la version définitive de *La Toilette*.

144. D-B XV 31 et 33, Z VI 736.

145. Z I 304, D-B XV 9.

146. Z I 305 ou Z VI 715, D-B XV 10.

s'être inspirées de deux autres des clichés. Ceux-ci sont, au demeurant, d'un caractère bien différent. Le premier figure une femme à la cruche portant sur les épaules un garçonnet (fig. 50). La photo est prise devant un fond monochrome, rouleau de toile unissant sol et mur et sur lequel se détache le personnage : l'une de ces vues mi-ethnographiques mi-pittoresques si fréquentes à l'époque coloniale. L'autre épreuve est celle signée « Guglielmo Pluschow » (fig. 54). Wilhelm von Plüschow de son vrai nom[147], cet Allemand entiché d'Italie était le cousin du photographe Wilhelm von Gloeden qui portait comme lui le titre de baron[148]. Tous deux se firent grande réputation comme spécialistes de nudités à prétexte antique, plus souvent masculines chez le second. Von Plüschow vivait à Rome, son cousin à Taormine. Leurs œuvres furent suffisamment diffusées en Europe dès les premières années du siècle, notamment dans les cercles artistiques[149], pour qu'il n'y ait guère à se surprendre que Picasso ait pu disposer de ce cliché. L'épreuve égyptienne ne relève cependant pas de ce kitsch que Roland Barthes décelait dans les équivoques reconstitutions de von Gloeden[150]. Proliférant mais austère arrangement de corps, elle est en effet prise, sans accessoires ni effets de costume, dans les ruines d'un temple, devant un mur de hiéroglyphes. Une dizaine de jeunes garçons se disposent à différents niveaux de l'espace. L'image semblerait un inventaire des possibles postures – de face, de dos, de trois quarts droit ou gauche, debout, assis ou allongé… – qui déclinerait les instants successifs d'une même nudité. Au centre de ce groupe se dresse la silhouette d'un adolescent aux yeux clos, extatique, tel un adorateur du Soleil. Sans concession à l'esthétique pictorialiste, cette mise en scène atteint à une sorte de naturalisation de son outrance[151]. Tout porte à croire que son inquiétante étrangeté retint l'attention de l'artiste. Croisé bien sûr à d'autres sources plastiques, le personnage central de la composition, notamment, aurait inspiré toute une série d'œuvres de l'année 1906. Les *Garçons nus aux bras levés* y font ainsi assez directement référence. *Les Adolescents*[152] (fig. 53) figureraient ce modèle à la fois de face et de dos, la main posée sur la cruche renvoyant tant à sa calotte blanche en cône tronqué qu'aux poteries visibles au faîte du mur. L'adolescent de dos reprend en outre, en l'inversant, la nuque du jeune garçon situé au dessus du modèle principal, comme si Picasso adjoignait à ce corps ployé dans une torsion, le bras levé de l'éphèbe aux yeux fermés et la main plaquée au mur du garçonnet figurant à la droite du cliché. Ce montage conserve au corps son ambiguïté sexuelle, puisque cette figure des *Adolescents* est le plus souvent décrite comme féminine.

La même posture aux bras levés peut également être rapportée à la jeune fille des études pour *La Toilette*. On retrouve ainsi dans une huile sur carton[153] le corps juvénile de l'adolescent, son sourire et le

147. Sur von Plüschow, cf. notamment, *Wilhelm von Gloeden, Wilhelm von Plüschow, Vincenzo Galdi, Italienische Jünglings-Photographien um 1900*, Berlin, Galerie Janssen, 1991.

148. Sur von Gloeden, cf. notamment, Barthes 1, et *Taormina, début de siècle*, photographies du Baron de Gloeden, préface de Jean-Claude Lemagny, Paris, Chêne, 1975. Le destin des deux cousins est évoqué de manière très romancée par Roger Peyrefitte (cf. Peyrefitte).

149. Dès 1893, des clichés des deux cousins illustrent un article « The Nude in Photography with some Studies Taken in the Open Air » paru dans *The Studio* (Londres, vol. 1) qui salue les travaux de von Plüschow comme étant « bien connus de quiconque s'intéresse à ce sujet pour leur excellence et le caractère artistique de leur composition ». Deux de ses clichés sont également reproduits, en 1902, dans *La Photographie de nu*, C. Klary, Paris. Des épreuves étaient diffusées à l'unité auprès des « amateurs » ou des étudiants en art.

150. Cf. Barthes 1, p. 7, qui souligne comment l'art de von Gloeden prenant pour prétexte l'Antiquité en « affiche pesamment les signes (éphèbes, pâtres, lierres, palmes, oliviers, pampres, tuniques, colonnes, stèles) mais mêle, sans ironie, la Grèce végétale, la statuaire romaine et le "nu artistique" venu des écoles des beaux-arts ».

151. La présence d'un tel tirage dans l'atelier de l'artiste était ignorée des deux chercheurs qui virent dans la grande toile néoclassique *La Flûte de Pan* (1923, Z V 141, MP 79) une interprétation d'un cliché, plus conventionnel, de von Gloeden, cf. Judson Clark et Burleigh-Motley, p. 92-93.

152. *Garçons nus aux bras levés*, Z XXII 406 et Z VI 662, respectivement D-B XV 1 et 2 ; *Les Adolescents*, Z I 324, D-B XV 11.

153. Z VI 736, D-B XV 33.

bras dont le geste est alors lu comme celui de la coiffure. D'une autre manière, *La Jeune fille à la chèvre* fait également sien le modelé linéaire et plan de cette silhouette de garçon, animé seulement par l'ombre sur son flanc droit (fig. 49). La composition triangulaire pourrait aussi s'inspirer du cliché[154]. Réalisées dans le même esprit, les œuvres se rattachant aux *Deux Frères*, combineraient à cette référence des emprunts à l'autre cliché, celui de la femme qui porte cruche et enfant. La figuration du garçonnet pourrait même y être vue comme un véritable portrait d'après photographie. De même, dans toute la série des études[155], la manière embarrassée dont l'adolescent tient son jeune frère de la main droite interprète le geste par lequel la femme du cliché passe sa main sur l'avant-bras. Dans l'œuvre achevée, la position des pieds, l'attitude générale que dicte le portage, la teinte unie du fond évoquent fortement la vue photographique.

Un tel travail d'analyse et de synthèse sémantiques dépasse l'emploi occasionnel de la photographie ou sa pure transcription imitative. Picasso décrypte, déplace, combine à d'autres sources d'inspiration chacune des unités signifiantes des images, comme s'il voulait en épuiser toutes les propositions tant documentaires que plastiques. Procédant par coupe, montage, mixage, l'artiste semble s'adonner à une sorte de lecture « flottante ». Il verrait ainsi l'angle que le bâton de l'Égyptienne forme avec la pierre du mur à l'arrière-plan comme dessinant le possible quadrilatère perspectif d'un miroir[156]. Flottante, cette vision se fit sans doute les yeux mi-clos. Dans un tel exercice, les valeurs peuvent en effet suggérer de nouvelles entités, nées d'approximations, de contiguïtés, d'agrégations qu'une attention réaliste écarterait. Comme si l'artiste s'essayait à interpréter de simples taches pour y déceler quelque image latente. Fidèle en cela à un exercice recommandé par Léonard de Vinci[157] ou Alexander Cozens[158], Picasso passe d'une surface à l'autre en suivant les lignes d'ombre, suppute, projette, à mi-chemin entre réalité et imaginaire, de possibles créatures. Celles-ci empruntent à la photographie leur vraisemblance, une consistance objectale, une vibration sensuelle, mais sont faites tout autant de l'intuition du peintre, du regard qu'il porte sur les images, erratique. Il en resterait quelque chose dans l'étrange imprécision des peintures des époques « rose » et « ocre » où le flou de la matière redouble la quasi-monochromie. Taches, traces, touches y délitent la couleur en de multiples nuances. La ligne d'un contour s'y dessine parfois, mais toujours faiblement, comme amortie. Le plus souvent ce n'est que l'effet de l'ombre. Cette manière d'indécision, cette plastique sourde, tonale, serait le reflet d'un regard qui s'est interdit l'acuité. Picasso y aurait trouvé une limite à la représentation exhaustive du réel, à son afflux trop exact d'information. Jouant le flou contre le net, le brossé contre le *piqué*, ce parti pris ferait, sur son terrain propre, écho au grand débat ouvert par la photographie « pictorialiste ». Ses tenants crurent, par une recherche d'émulsions rares, de procédés gestuels, porter la photographie à un supplément d'art. Dans un mouvement inverse, Picasso paraphraserait ici de tels moyens pour leur redonner leur véritable objet : la peinture. Partant de la photographie, il s'en libère par le dérèglement consenti de sa vision. L'exercice divinatoire des yeux mi-clos ne retiendrait des modèles que la discrète sollicitation formelle et l'*aura* qui subsiste de leur fugitif passage devant la caméra.

154. L'adolescente y remplace son modèle masculin ; l'enfant à droite conserve, quelque peu modifié, le caractère contourné du garçonnet occupant la même place ; la chèvre, enfin, se substituerait à l'enfant qui, à gauche, regardant le personnage central à mi-corps semble faire un écart de côté pour mieux voir. L'ombre médiane du tableau correspond également à celle qui structure la photographie jusque dans la forme triangulaire qui imiterait la porte d'accès au temple.

155. D-B XV 3 (Z XXII 390), 4 (Z VI 713), 6 (Z XXII 313) et 8 (Z VI 720).

156. De même, la ligne droite de la cuisse dans *Femme à l'éventail* procéderait du pan raide de tissu qui vient se rabattre dans la partie inférieure du cliché. Ou encore, la longue chevelure de cette même toile ne serait que l'ombre sinueuse qui s'immisce entre les corps des deux indigènes.

157. Cf. Vinci, p. 332-333.

158. Cf. Lebensztejn.

Une dernière notation est suggérée par le curieux cliché de Plüschow. Sujet, tonalité, composition offriraient l'une des clés permettant de mieux approcher l'aventure picturale que l'on rapporte au séjour à Gosol. Au-delà des correspondances qui peuvent s'établir avec telle ou telle œuvre, un lien plus profond existerait avec ce moment esthétique où « la peinture se fait chair », se dépouillant de ses artifices en même temps qu'elle dévêt ses modèles. On pourrait, mieux que dans des emprunts à l'art antique, y trouver la source de cette « noblesse naturelle, sans prétention, dans la composition et les attitudes qui », selon Alfred Barr, « font paraître pâles et vulgaires les gardiens officiels de la tradition "grecque", tels que Ingres et Puvis de Chavannes »[159]. Une même sensibilité ferait en effet communiquer le monde de cette photographie avec celui peuplé de créatures prénubiles, d'un sexe souvent mal défini, des *Adolescents* (fig. 53), de *Trois nus*[160] (fig. 51), du *Harem* (fig. 52). On y retrouverait cette composition centrée sur un sujet debout, l'espace sans profondeur marqué de pierres équarries et, dans le cas de la dernière de ces toiles, le creux d'un angle aigu tel le repli qui se forme dans l'épaisseur du mur de hiéroglyphes. Associés aux riches citations dont de telles œuvres se tissent – la Grèce des *kouroï*, l'Ingres du *Bain turc* –, les garçonnets égyptiens, assis sur un bloc, jambes ouvertes, tenant leur cheville ou leur pied, trouvent leurs homologues dans tel adolescent, tel jeune homme, tel eunuque de ces peintures. On ne peut non plus ignorer les rapports de voisinage, d'angularité, de recouvrement que les corps entretiennent entre eux, s'étageant en plans rapprochés, bras levés, jambes fléchies, une épaule dissimulant un membre... L'effet de ronde-bosse du *Harem* répond au bas-relief photographique que dessine la multiplicité des corps, et les calligraphies sur le fond de *Trois nus,* aux hiéroglyphes du temple. Il y aurait dans une telle rémanence, persistance rétinienne aussi bien que mémoire culturelle. De l'Egypte des photographies à l'Espagne réelle du printemps et de l'été 1906, elle aurait induit Picasso à faire des corps habillés, corsetés, catholiques, de ces villageois, les figures d'un idéal hédonisme. Si éloignés les uns des autres, les enfants nus et les rudes montagnards auraient ainsi dicté, ensemble, la paradoxale équation de la peinture de Gosol.

159. Cf. Barr Jr, p. 42. Ce jugement sur la gouache *L'Abreuvoir* (1906, D-B, XIV, 16) pourrait s'appliquer à plusieurs autres œuvres de l'année 1905-1906.
160. Z I 340, D-B XV 18.

Fig. 51
Trois nus
Gosol, été 1906
Gouache sur papier
63 x 48,3 cm
New York, collection
The Alex Hillman Corporation

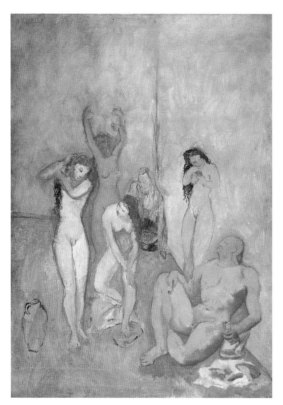

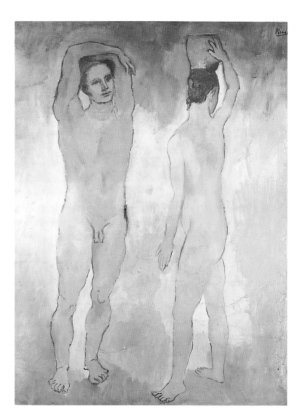

Fig. 52
Le Harem
Gosol, été 1906
Huile sur toile
154,3 x 109,5 cm
Cleveland, The Cleveland
Museum of Art, collection
Leonard C. Hanna Jr

Fig. 53
Les Adolescents
[Gosol-Paris], 1906
Huile sur toile
157 x 117 cm
Paris, musée national
de l'Orangerie

Fig. 54
Wilhelm von Plüschow
Jeunes garçons nus
[Karnak, 1880-1890]
Epreuve sur papier albuminé
21,7 x 16,2 cm
Paris, archives Picasso

« L'humanité féminine »

Une source africaine des
Demoiselles d'Avignon

A l'automne 1906, peu après son retour de Gosol, Picasso engage le grand cycle de travail qui culminera avec *Les Demoiselles d'Avignon*. Daniel-Henry Kahnweiler a bien identifié la rupture picturale qui traverse, littéralement, la surface du tableau : « La moitié de gauche presque monochrome, se rattache encore à ses figures de l'époque rose (mais elles sont ici taillées à coup de hache, comme on disait alors, modelées beaucoup plus fortement) tandis que l'autre partie, très colorée, est vraiment le point de départ d'un art nouveau »[161]. Il précise ailleurs : « Ce qui constituait la nouveauté singulière de la partie droite de l'œuvre, c'était l'invention de formes colorées qui n'entendaient plus imiter le monde extérieur mais seulement le signifier. Le tableau cesse d'être miroir – fut-il déformant – du monde visible pour devenir une écriture plastique »[162].

Le catalogue publié lors de l'exposition organisée, en 1988, au musée Picasso de Paris[163] a magistralement documenté la chronologie de l'élaboration des *Demoiselles* et les multiples références qui peuvent y être lues : rapports au Greco, à Ingres ou Michel-Ange, empreinte de la sculpture ibérique présentée en 1906 au Louvre, influence de Cézanne, Gauguin mais aussi de Manet ou Seurat, dialogue en opposition avec le *Bonheur de vivre* de Matisse… Dans le même temps était réaffirmée la thèse, déjà développée lors de l'exposition américaine *Primitivism and XXth Century Art*[164], selon laquelle la découverte par Picasso des collections ethnographiques du Trocadéro ne se situerait qu'à la fin de la période d'élaboration du tableau et qu'il était excessif de faire d'une pleine connaissance de l'art primitif la source directe de celui-ci[165]. Pour autant, il n'est pas définitivement assuré que ceux qui parlèrent un temps, à propos de cette année 1906-1907, d'une « période nègre » de Picasso aient eu tort. Les premiers spectateurs des *Demoiselles*, selon ce que rapporte Kahnweiler, « croyaient y voir des noirs »[166]. Au lieu de moquer cette « méprise naïve », peut-être faudrait-il admettre que ces témoins approchaient, à leur insu, une *autre* vérité. De même, serait-on amené à écouter d'une oreille neuve la réplique de Picasso à Gelett Burguess, à propos des *Demoiselles* ou de *Trois femmes* : « Vous lui demandez s'il se sert de modèles : il vous regarde

---

161. Cf. Kahnweiler 6, p. 33-34.
162. Cf. Kahnweiler 5, non paginé.
163. Cf. Seckel 1.
164. The Museum of Modern Art, New York, 1984. Le catalogue, sous la direction de William Rubin, a été édité en version française, *Le Primitivisme dans l'art du XXᵉ siècle*, Paris, Flammarion, 1985.
165. Cette thèse entend donc corriger l'interprétation donnée par Alfred H. Barr Jr (cf. Barr Jr) qui voyait dans les *Demoiselles* le chef-d'œuvre de la « période nègre » de Picasso et identifiait dans la version définitive des deux figures de droite l'influence directe de masques du Congo ou de la Côte-d'Ivoire. Elle s'inscrit, sous une forme atténuée, dans la lignée de l'article de Pierre Daix (cf. Daix 2, p. 247-270). L'ensemble des déclarations de Picasso sur son rapport à l'art primitif ainsi que les témoignages des contemporains ont été réunis par Hélène Seckel, « Anthologie, parole de peintre, témoins » (cf. Seckel 1, p. 625-688). La datation de la visite au Trocadéro et, de manière plus générale, la minimisation de l'influence de l'art primitif sur les *Demoiselles* restent contestées par John Richardson (cf. Richardson 2, p. 24-25).
166. Cf. Kahnweiler 2, p. 113.

Fig. 55
Edmond Fortier
Femme Malinké
Afrique occidentale, 1906
Collotypie (carte postale)
Paris, archives Picasso

Fig. 56
Femme de profil
Paris, hiver 1906-1907
Huile sur toile
75 x 53 cm
Collection particulière

d'un air goguenard. "Où voulez-vous que je les trouve ?" répond-il avec un sourire narquois, en clignant de l'œil vers ses ogresses bleu outremer »[167].

Ni *art* nègre, ni modèle *vivant* dans *Les Demoiselles d'Avignon*. Peut-être. Mais la compréhension de la genèse des *Demoiselles d'Avignon* pourrait bien avoir à prendre en compte un autre modèle « noir ». Un lien entre le tableau et l'imagerie photographique coloniale avait été remarquablement pressenti par Waltraud Brodersen[168] sans que cette hypothèse ait pu être étayée concrètement. De tels documents furent cependant diffusés en abondance dans le sillage des « exhibitions » d'indigènes encore courantes, à Paris, au début du siècle[169]. La connaissance des archives personnelles de l'artiste a surtout permis d'y identifier un ensemble d'une quarantaine de cartes postales, datant précisément de 1906, qui témoignent de sensibles parentés avec nombre des œuvres appartenant au cycle des *Demoiselles*. Tous ces clichés portent la même marque : Fortier, Dakar[170]. Edmond Fortier, photographe actif au Sénégal dès la fin du siècle dernier, entreprit à partir de 1900-1901 le plus gigantesque travail de prise de vue de tout le continent, son catalogue comprenant, de cette date à 1928, plus de 8000 références qui correspondent à environ 3500 clichés distincts. Selon le spécialiste de ce grand œuvre, Philippe David[171], les plus récentes des vues détenues par Picasso peuvent être rattachées à une campagne photographique effectuée au Soudan français (actuel Mali) qui eut lieu à la fin de 1905 ou au début de 1906[172]. Il est donc permis d'admettre que Picasso les ait découverts peu après son retour de Gosol[173]. A travers celles de ces images qu'il devait conserver, c'est le continent noir du tout début de l'Afrique occidentale française

167. Gelett Burgess, « The Wild Men of Paris », *The Architectural Record,* New York, XXVII, n° 5, mai 1910, p. 400-414, traduit par Hélène Seckel, cf. Seckel 1, p. 652. Le propos rejoint celui recueilli par Pierre Daix où l'artiste déclare : « Je ne me servais plus de modèles depuis Gosol. Et justement, à cette époque (1907), je travaillais complètement hors de tout modèle », cf. Daix 2, p. 267.

168. Cf Brodersen, p. 342-343.

169. Ces exhibitions se tenaient principalement au Jardin zoologique d'acclimatation, au bois de Boulogne, où elles furent organisées périodiquement de 1877 à 1912. A ce sujet, cf. Gala.

170. Imprimées en collotypie, ces cartes portent les mentions « Collection Fortier, Dakar » ou « Collection Générale Fortier, Dakar », un numéro de référence ainsi qu'une légende et sont toutes vierges de correspondance. Les deux séries ici représentées sont contemporaines l'une de l'autre et ont été diffusées dès 1906. Les clichés seront désignés par les initiales CF ou CGF, suivi de leur numéro dans la série. Les numéros à quatre chiffres portés par les épreuves du fonds Picasso ne sont pas l'indice d'une publication plus tardive dans la série, le choix ayant été fait par l'éditeur de débuter l'indexation des portraits ou clichés de groupe à partir du n° 1000.

171. Auteur de nombreux articles sur Fortier parus dans des revues spécialisées, Philippe David les a synthétisés, cf. David 2. Nous devons à cet ouvrage et à la très obligeante coopération de son auteur les éléments de datation ici rapportés. Sur Fortier, cf. également Prochaska, p. 40-47.

172. Les plus anciens exemples connus de cartes de cette série à avoir été utilisées pour la correspondance remonteraient, d'après leur oblitération postale, au début de l'automne 1906. Mais, ces clichés étant imprimés en métropole, il est fort probable qu'ils aient été disponibles à Paris, plusieurs mois plus tôt auprès des multiples et populaires comptoirs de cartes postales qui y étaient alors actifs.
Philippe David a mis au jour un cliché carte de visite pris par Fortier portant au dos la mention commerciale « Dakar, Lagos, Paris ». le Bottin commercial pour l'année 1906 comporte en effet, à la rubrique « phototypie », un « Fortier et Mariotte », 35 rue de Jussieu, qui propose des « travaux spéciaux pour cartes postales ». Des rééditions attestées à partir de 1913, dites « C.G.F. à fond vert », portent par ailleurs une mention d'imprimeur, « E. Le Deley, Paris ». Il n'est pas à exclure que cet industriel ait assuré également la fabrication et la diffusion des cartes éditées plus précocement. Ernest Le Deley figure également dans le Bottin pour 1906 et son activité est alors suffisamment florissante pour qu'il dispose de trois adresses parisiennes. Signalons que d'autres cartes postales imprimées par Le Deley se trouvent dans les archives Picasso ; elles montrent des groupes de Touareg, photographiés à Paris en 1909.

173. Une autre hypothèse serait que les cartes Fortier aient été rapportées à Picasso par l'un de ses proches ayant visité l'exposition coloniale tenue, en 1906, à Marseille, manifestation qui connut une grande affluence et s'entoura d'un intense commerce de « souvenirs » divers. André Derain, par exemple, passa à Marseille à l'été 1906. Il fut très proche de Picasso à l'automne 1906 quand il commença à habiter rue Tourlaque à proximité du Bateau-Lavoir.

qui se dévoile au regard : femmes, couples, scènes de groupes, et, avec eux, les rayures des étoffes, les coiffures et les bijoux, les outres, les coupes, les gestes, les rituels, l'arrière-plan des cases... Les modèles se dressent demi-nus, noirs, monumentaux, exhibant cette photogénie où la lumière se réfléchit et dote chaque corps d'une singulière sculpturalité. Jamais le jugement du « miroir noir » auquel la peinture doit se soumettre n'aura trouvé, dans tout le parcours picassien, forme si matérielle[174]. Un dialogue « nègre » donc, dont les œuvres portent trace, que les yeux pressentaient, mais dont on ignorait encore le véritable objet.

TYPE, FIGURE, PORTRAIT

Les épreuves Fortier détenues par Picasso forment deux sous-ensembles. Le premier, composé de neuf cartes postales, présente des types indigènes du Soudan, du Sénégal et de Haute-Guinée. C'est lui qui paraît avoir été le plus intensément inspiré le peintre. Seuls ou en groupe, les modèles sont figurés dans leurs gestes quotidiens, leur attitude n'étant pas toujours exempte d'artifice ou exprimant parfois un certain déni de la prise de vue. Le second ensemble regroupe 27 cartes toutes consacrées à des femmes, au buste le plus souvent nu, et qui arborent, d'une manière inégalement consentante, la pose voulue par l'opérateur. Ainsi nombre d'entre elles sont montrées les bras levés ou derrière le dos dans un geste visant à faire saillir la poitrine. Souvent un bâton est passé dans les bras repliés du modèle, trahissant l'ethnocentrisme de la mise en scène. Ces corps d'une si stupéfiante, si étrangère beauté, pouvaient, sans nul doute, susciter l'intérêt du jeune peintre. Il suffirait pour le mesurer de feuilleter « L'Almanach du Nu » pour l'année 1910, également conservé dans ses archives : la mièvrerie se voulant suggestive des postures ôte aux modèles vigueur aussi bien qu'attrait. A l'opposé, femmes ou hommes d'Afrique sont noirs, sont nus, vraiment. Leurs corps visibles disent autant l'absolue altérité que la présence. Ils portent une histoire vivante. Venus d'ailleurs, ils sont pourtant là, contemporains de Picasso qui les regarde. Au moment où il les peint, il sait qu'en Afrique, ces mêmes corps vivent, se meuvent, répètent gestes et attitudes. Sculpture, ils portent scarifications, tresses et chignons serrés dans des architectures inconnues, des parures, des carquois, des feuillages, des étoffes. Ils forment un peuple nu, marqué de toute une écriture de signes. Ils s'érigent telle une statuaire nègre, ils sont l'art primitif avant même que celui-ci ait été reconnu. Ils sont du même temps que Picasso et vont s'incarner à nouveau par sa peinture, dans sa peinture[175].

Pour attester ce lien, l'exemple le plus éloquent est sans doute donné par la toile *Femme de profil*[176] (fig. 56). Outre une dominante brune qui pourrait emprunter directement à la photographie, cette figure propose une très lisible métamorphose formelle d'un portrait du fonds Fortier, « Femme Malinké »[177] (fig. 55). Conservant la structure du buste, Picasso l'exprime dans un trait large et clair où il fusionne le contour du sein et du dos avec celle du linge éclatant que la jeune femme porte sur l'épaule gauche. Il affine encore le cou et la tête en les traitant en un profil perdu, consignant néanmoins,

---

174. Jérôme Monnier, restaurateur, nous a signalé que plusieurs des cartes Fortier portaient des traces de brûlure de flamme et que des dépôts de suie indiquaient que ces cartes avaient été disposées devant une bougie en un paquet formant un éventail. Ces marques pourraient s'expliquer par leur utilisation au cours des séances de travail de nuit au cours desquelles Picasso s'éclairait à la bougie.

175. Outre les œuvres qui seront ici rapprochées des cartes Fortier, nous voulons attirer l'attention sur un dessin *Nègre assis* (D-B D XVI 4, pas dans Z) qui dérive, selon toute probabilité, d'un cliché colonial que nous n'avons pu identifier à ce jour. Le cas serait d'autant plus intéressant que la pose du personnage, sa nudité, la présence du vase à son côté évoquent très directement le personnage masculin du *Harem*.

176. Hiver 1906-1907, D-R 4, pas dans Z. Pierre Daix rattache cette toile au projet abandonné d'une peinture sur le thème de chevaux et de cavaliers au bois de Boulogne, cf. Daix 4, p. 507.

177. CGF 1405.

Fig. 57
Portrait de Gertrude Stein
Paris, 1906
Huile sur toile
New York, The Metropolitan
Museum of Art,
don Gertrude Stein, 1946

Fig. 58
Edmond Fortier
Femme de Timbo (de trois quarts)
Afrique occidentale, 1906
Collotypie (carte postale)
Paris, archives Picasso

Fig. 59
Edmond Fortier
Femme de Timbo (de face)
Afrique occidentale, 1906
Collotypie (carte postale)
Paris, archives Picasso

Fig. 60
Buste de femme
Paris, été 1907
Huile sur toile
74 x 60 cm
Collection particulière

Fig. 61
Edmond Fortier
Jeune femme Foulah
Afrique occidentale, 1906
Collotypie (carte postale)
Paris, archives Picasso

Fig. 62
Buste de femme
Paris, été 1907
Huile sur toile
66 x 59 cm
Paris, musée national
d'art moderne

Fig. 63
Edmond Fortier
Femme Bambara
Afrique occidentale, 1906
Collotypie (carte postale)
Paris, archives Picasso

Fig. 64
Deux femmes nues
Paris, automne 1906
Huile sur toile
151,3 x 93 cm
New York,
The Museum of Modern Art,
don G. David Thompson,
en l'honneur
de Alfred H. Barr Jʳ, 1959

Fig. 65
Edmond Fortier
Les Bobos
Afrique occidentale, 1905-1906
Collotypie (carte postale)
Paris, archives Picasso

Fig. 66
Etude pour l'étudiant en médecine :
buste d'homme de profil
Crayon noir, plume et encre noire
24,3 x 19,5 cm
Carnet MP 1861-23 R
Paris, musée Picasso

sous la forme inventée d'une pommette saillante, la dépression marquée entre front et nez. La coiffure sculpturale du modèle, redressée, est évoquée par l'arc double que maintient le lien frontal. Quant à la grande oreille à volute, elle conjugue ici à la référence « ibérique » une source plus directe : l'entité démesurée que dessinent sur le cliché l'anneau fixant une tresse de cheveux et la lanière de cuir passée dans le lobe percé. C'est là l'une des situations où le croisement formel de traits venant tant de la statuaire ibérique que des images ethnographiques nourrirait la novation formelle dont Pierre Daix, sans connaître le fonds Fortier, a bien pressenti la singularité : « Picasso n'imite pas vraiment. Il traite ces caractéristiques comme un vocabulaire de primitivisme, les fondant au besoin en une sorte de syncrétisme négro-ibérique qui déroutera tous ceux qui s'acharneront à leur trouver une source bien définie »[178].

Terminé à l'automne 1906, au moment même où Picasso pourrait s'être procuré les cartes postales d'Afrique, le *Portrait de Gertrude Stein*[179] (fig. 57), dont le peintre effaça le visage avant de le refaire d'un seul trait, pourrait également leur devoir une part de son dernier état. On penserait ici à deux clichés, présentant le même modèle, intitulés « Femme de Timbo »[180] (fig. 58 et 59). L'œil serti dans un pli sombre incarne, au-delà de toute attente, les traits que l'on a pu rapporter à la statuaire ibérique. De ces deux angles de vue, Picasso aurait déduit le masque qu'il finit par octroyer à son amie. Il lui aurait ainsi conféré l'expression altière, lointainement rêveuse, d'une femme première rétive à la spéculation du regard masculin comme aux rites de la figuration. Attitude somme toute peu différente de ce qu'avaient pu susciter les innombrables séances de pose ayant précédé le départ à Gosol : une obéissance résignée d'où sourd, imperceptiblement, la dénégation obstinée de l'homme qui, là, regarde, photographie, peint.

Quelques mois plus tard, ces deux mêmes clichés pourraient avoir également contribué à l'élaboration des toiles *Buste de femme nue* et *Buste de femme*[181]. L'expression de la physionomie, les inflexions de la lumière sur le visage y sont assez fidèlement traduites. De même, un autre *Buste de femme* (fig. 62) daté de juin-juillet 1907[182] serait à mettre en relation avec une carte représentant une femme bambara[183] (fig. 63). Celle-ci se tient assise, de profil, la petitesse du visage et du cou contrastant avec une poitrine monumentale. La toile reprend la posture comme cette disproportion tête/corps[184]. Ainsi, la structure du buste dissocie le sein gauche du droit, isolant l'épaule au premier plan et venant équarrir le dos sur l'omoplate scarifiée du modèle. Une dernière figure féminine[185] (fig. 60) renverrait semblablement à un triple portrait par Fortier d'une même « Fille Foulah »[186] (fig. 61). Picasso aurait plus particulièrement retenu la vue la montrant de trois quarts, appuyée à un toit de chaume, un bâton à la main[187]. Toutes ces œuvres, soulignons-le, traitent leurs modèles, par l'intermédiaire de la photographie, avec l'intention manifeste de saisir leur idiosyncrasie. En cela, elles seraient à considérer comme de véritables *portraits*.

178. Cf. Daix 5, p. 248.
179. Z I 352, D-B XVI 10.
180. CGF 1388 et 1390.
181. Z II* 31, D-R 32 et Z II* 16, D-R 33. La première de ces toiles partage avec l'une des cartes la pose de trois quarts et le déséquilibre du corps appuyé à la hutte. Réduisant la coiffure à un chignon sphérique, elle reporte sur le front l'arête et les stries de son motif. Pour l'autre peinture, on relèvera le regard fixe et absent, la largeur de la face et des ailes du nez, le coup de brosse clair en écho à l'accroche de lumière sur le menton du modèle.
182. Z II* 23, D-R 38.
183. CGF 1329.
184. On y retrouve également l'ellipse du crâne, l'ombre des deux yeux que relient les sourcils, le motif de l'oreille, la luminescence de la prunelle.
185. *Buste de femme*, Z II 334, D-R 37.
186. CGF 1339, 1340 et 1342.
187. CGF 1339. L'accent circonflexe formé par l'ombre entre paupière et sourcil aurait dicté le traitement losangé des yeux, le rapport de la toile au cliché se vérifiant également dans l'expression de la bouche, le dessin épaté des narines, les tresses se tordant sur la nuque, le décor de la coiffure fixée au sommet du crâne.

Dans de tels cas, la peinture se veut inventaire distinctif de traits d'identité. Et ces portraits de modèles anonymes seraient parmi les plus « ressemblants » de ceux qu'ait produits Picasso à cette époque. Un même paradoxe s'observera dans les années 1914-1923, lorsque, de manière réitérée, l'artiste s'essaiera à dessiner à partir de clichés carte de visite du siècle dernier. Il semblerait ainsi que, plus le sujet lui est personnellement proche, plus Picasso marque la distance pour toucher à de pures questions de structure ou de plastique. C'est ce qu'observait Gertrude Stein lorsqu'elle affirmait : « Picasso luttait pour exprimer la tête, le visage, le corps des hommes et des femmes dans sa conception personnelle. Cette lutte était dure, elle l'est encore. L'âme des êtres ne l'intéresse pas beaucoup. C'est-à-dire que pour lui l'existence de la tête, du visage, du corps est si importante, si persistante, si complète, qu'il ne lui est pas du tout nécessaire de penser à autre chose. Et l'âme, c'est évidemment autre chose »[188]. William Rubin observe pour sa part que Picasso « n'essaie pas de résumer en un seul portrait ses impressions sur les gens qu'il connaît bien » mais qu'exploitant les ressources cumulées de son art figuratif, il en donne « une série d'évocations qui, souvent, changent radicalement d'une image à l'autre »[189]. A l'inverse, l'image d'un être inconnu, telle que peut la véhiculer une photographie « trouvée », libre aux yeux de Picasso de toute affectivité parasite, l'autoriserait à entrer picturalement en une sorte de résonance secrète avec le sujet. Le cliché jouerait alors le rôle d'un vecteur ontologique maintenant le modèle dans le lointain spatial et temporel de son existence propre, tout en le projetant dans l'ici et le maintenant du peintre. Comme l'a écrit Roland Barthes : « La photo est littéralement une émanation du référent. D'un corps réel, qui était là, sont parties des radiations qui viennent me toucher, moi qui suis ici ; peu importe la durée de la transmission ; la photo de l'être disparu vient me toucher comme les rayons différés d'une étoile. Une sorte de lien ombilical relie le corps de la chose photographiée à mon regard : la lumière, quoique impalpable, est bien ici un milieu charnel, une peau que je partage avec celui ou celle qui a été photographié »[190]. Le rayonnement propre aux modèles anonymes de Fortier viendrait ainsi, à l'encontre de toute attente, habiter les peintures « nègres » de Picasso de figures féminines aspirant à quelque « autre chose » : âme, essence, humanité…

Deux femmes nues[191] (fig. 64), toile peinte à l'automne de 1906, représente un jalon décisif vers les *Demoiselles*. Elle mérite d'être rapprochée du cliché soudanais « Les "Bobos" (Région de Bobo-Dioulasso) »[192] (fig. 65) et singulièrement de l'homme qui se dresse de profil. Dans une composition inverse, plusieurs études préparatoires à la toile[193] plaçaient la figure la plus grande sur la droite. Comme la carte Fortier, elles mettaient en valeur la disparité de taille et de caractère, disparité particulièrement expressive dans une œuvre comme *Deux femmes nues se tenant*. Ces mêmes études retiennent également de la photo le rôle du bras qui, à la fois, relie et maintient à distance les personnages. La toile définitive propose un agencement différent où ils sont ramenés à la même stature, si bien qu'il semblerait que c'est le plus grand d'entre eux qui est montré à la fois de face et de dos. Symétriquement disposés, les corps se renvoient leurs gestes si voisins qu'on pourrait les confondre. Cet effet en miroir n'est pas sans rapport avec celui de *La Toilette* : on l'a vu, dans la toile de 1905, les modèles dos à dos de la photographie égyptienne se faisaient désormais face ; ici, deux personnages côte à côte font place à un dédoublement spéculaire de l'un d'entre eux. Dans les études évoquées ci-dessus, le traitement des corps emprunterait

188. Cf. Stein 2, p. 50.
189. William Rubin, « Réflexions sur Picasso et le portrait », Rubin 5, p. 14.
190. Cf. Barthes 2, p. 126-127.
191. Paris, automne 1906, Z I 366, D-B XVI 15.
192. CF 1057.
193. *Deux femmes nues* (D-B XVI 11, pas dans Z), *Deux nus* (D-B XVI 12, pas dans Z), *Deux femmes nues se tenant* (D-B XVI 13, Z I 360), *Nu de face* et *Nu de profil* (Z I 361 ou VI 888, D-B XVI 14).

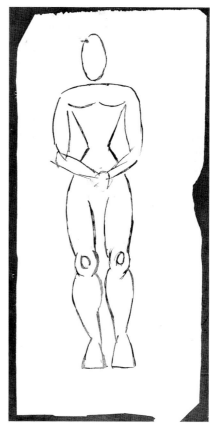

Fig. 67
Edmond Fortier
Cérère None, jeune fille
Sénégal, 1905-1906
Collotypie (carte postale)
Paris, archives Picasso

Fig. 68
*Etude pour « Les Demoiselles
d'Avignon » : nu debout*
Paris, printemps 1907
Plume et encre de Chine
sur papier calque
25,5 x 12 cm
Paris, musée Picasso

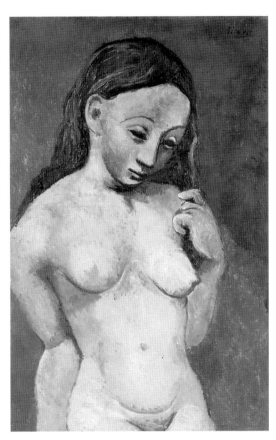

Fig. 69
Nu sur son fond rouge
Paris, automne 1906
Huile sur toile
81 x 54 cm
Paris, musée national
de l'Orangerie

Fig. 70
Edmond Fortier
Jeune fille Cérère
Sénégal, 1905-1906
Collotypie (carte postale)
Paris, archives Picasso

également aux cartes « Jeune fille cérère » (fig. 70) et « Cérère None, jeune fille »[194] (fig. 67) dont les sujets portent pour toute parure une pièce de toile triangulaire et des rangs de perles soulignant le pli de l'abdomen. L'ombre portée de la poitrine et des aisselles se retrouve distinctement dans chacune des esquisses. L'une des figures cérères[195] (fig. 70) semble dans un rapport encore plus direct avec *Nu sur fond rouge*[196] (fig. 69). Entre les trois clichés sources et cette séquence d'œuvres ou d'études, circulent ainsi tous les éléments du « marcottage » formel dont va procéder la version finale de *Deux Femmes nues*. Dans ses traits les plus caractéristiques, la femme de gauche peut aisément être identifiée avec l'homme de profil du couple bobo. La tête en est reconnaissable, bien que légèrement basculée. De l'avant-bras et du biceps viril écrasé sur la poitrine découle directement le motif pictural du bras et du sein. La ligne du tronc, son pointement à l'ombilic, sa brusque déclinaison vers le pubis, l'arrondi des fesses, le dessin de la jambe se retrouvent à l'identique. Quant aux pieds, ces surprenants pieds épousant la terre battue d'une ligne onduleuse, on les voit reproduits avec un particulier souci d'exactitude, même si l'effacement de la cuisse en modifie quelque peu l'écartement. Une telle littéralité, point à point, fait apparaître accessoires les menus ajustements auxquels doit recourir le peintre pour faire de cet homme une femme[197]. Le personnage de droite n'est pas construit différemment, même s'il subit un demi-tour sur lui-même. Il unirait la modénature du bras gauche de la jeune Cérère – coude, raccourci musculeux de l'avant-bras, angle contrarié qu'il forme avec la main – et la ligne du corps, le cou, l'épaule de la femme bobo. Le geste symétrique des deux mains du modèle africain écartant son voile et le triangle formé par celui-ci trouvent par ailleurs un exact équivalent dans la main au doigt pointé à laquelle répond celle de l'autre femme ouvrant le rideau.

Bien sûr, d'un tel assemblage visuel, Picasso fait un tableau et celui-ci obéit avant tout à sa propre règle. Selon l'analyse qui en est ici suggérée, les toiles de cette période conserveraient cependant la trace spécifique de la procédure d'inspiration photographique qui aurait participé à leur genèse. Car le montage par pièces et morceaux opéré par le peintre ne tente à aucun moment de rendre plausibles anatomiquement les éléments hétérogènes empruntés à diverses images. Picasso, tout au contraire, semble s'attacher à préserver la singularité, l'orientation première de chacun de ces fragments et à jouer ouvertement de leurs dissonances formelles. Le tableau exhibe qu'il est fait par collage et les entités qu'il agrège restent délibérément disjointes. A l'opposé de toute synthèse, elles forment un puzzle de signes contrariés dont la dynamique centrifuge définit un langage formel inédit. Ainsi, dans *Nu sur fond rouge*, la figure se construit toute entière par l'emmanchement critique des éléments tête/buste/bras/main dont chacun exprime sa disparité. Mais le tableau existe précisément de ce que ce corps « ne marche pas », et, par ce dysfonctionnement iconique, échappe à l'usuel de la représentation figurale. C'est ainsi, par défaut même de vraisemblance, que la peinture s'énonce. Mais il ne suffisait pas que la photographie ait servi de modèle. Il fallait que, pour le peintre, ces corps imagés soient devenus *corpus* : un stock de traits signifiants qu'il puisse librement disséminer, déplacer, réemployer, afin qu'advienne un sujet de peinture ne devant plus rien à l'illusionnisme. Une telle procédure de sélection et de marcottage

---

194. CF 1032 et 1034.
195. CF 1032.
196. Eté-automne 1906, Z I 328, D-B XVI 8. Inversée par rapport au cliché, la toile lui emprunterait le visage pensif, la ligne sombre de l'épaule butant sur la main fermée, l'ombre complexe que le sein dessine à la naissance du bras. Dans la peinture, celui-ci subit un bizarre contournement en mémoire de son repli sur le cliché. La main qui tenait la toile de la coiffure inspire celle qui, sur le tableau, vient s'inscrire en clair dans le triangle noir cerné par la courbe du sein. Le sexe du *Nu sur fond rouge*, enfin, est lui aussi désigné par la saillie du bas-ventre et un motif punctiforme évoquant les perles de la ceinture.
197. Le geste insolite du doigt pointé reprend assez directement l'objet tenu par l'homme de profil qui, sur le cliché, peut évoquer un index démesuré.

visuels devrait donc être comprise comme un jalon non négligeable vers le cubisme analytique et, plus particulièrement, la révolution des « papiers collés ».

FEMMES AU MARCHÉ

A cette étape, un examen doit être conduit en parallèle des études les plus directement liées à la genèse du grand tableau de 1907 et des portraits féminins du fonds Fortier. Les *Demoiselles d'Avignon* (fig. 00) sont en effet au centre d'un faisceau d'œuvres de premier plan qui, chronologiquement, relie *Deux femmes nues*, peintes à l'automne 1906, à *Buste de femme*[198] en juin-juillet 1907 pour se prolonger jusqu'au *Nu à la draperie*[199]. Face aux multiples croisements qu'autoriserait la richesse d'un tel matériel, nous nous en tiendrons ici à un premier relevé d'indices.

Ces notations concernent tout d'abord les *Nu debout*[200] (fig. 68) d'avril-mai 1907 et les toiles *Femme aux mains jointes*[201] et *Buste de femme*[202] qui, tous, présentent quelques parentés avec le portrait Fortier d'une « Cérère None »[203] (fig. 67) déjà évoqué. On y reconnaît autant d'équivalences des ombres portées sur le corps nu du modèle, du crâne épilé, du hiératisme de la pose. Systématisant ces données plastiques, les dessins du Carnet 5 géométrisent le motif et usent de l'éclairage propre au cliché comme d'un discret élément d'élaboration de la toile. Conformément au style de prise de vue caractéristique de Fortier, la lumière solaire, tombant à l'aplomb du corps, réduit l'ombre à un mince contour, un cerne qui souligne le creux de l'aine ou le pli du genou. Ce caractère marque nombre des toiles de la galaxie des *Demoiselles* où le dessin constructif l'emporte sur le modelé clair-obscur. A ce cliché pourraient d'ailleurs être rattachées les deux œuvres intitulées *Etude pour la Demoiselle aux bras levés : nu de face*[204] (fig. 87 et 88). Celles-ci sont fidèles à ce même contour d'ombres linéaires ainsi qu'à des éléments comme le masque du visage, l'abdomen saillant, les hautes lumières entre les seins, le triangle du pubis, transcription du *guembé*, « ce rudiment de vêtement » que, selon la légende de la carte postale, portaient les jeunes Cérères Nones. Le motif de femmes aux deux bras levés et aux mains jointes peut ainsi prendre appui sur un cliché où ne figure ni l'un ni l'autre de ces gestes mais qui offre nombre d'autres matériaux déterminants dans l'échafaudage plastique de la peinture. Car Picasso pouvait bien inventer le corps d'une femme aux bras levés sans le secours d'une photographie. Par bien d'autres moyens, pour qui sait le voir, le cliché, étendue de signes bichromes, suggère une architecture de formes en même temps qu'il éveille au mystère d'un sujet. Cette double sollicitation naîtra aussi bien d'une lumière zénithale, d'un cerne sombre, du dessin propre aux articulations, de la volumétrie cylindrique du tronc et des membres, de la verticale d'un roseau… Cet objet évoque les règles qui, dans les ateliers, soutenaient la pose du modèle et servaient d'étalon au dessinateur débutant. Devant les images de Fortier, comme précédemment face au cliché des deux Egyptiennes, le regard du peintre ne pouvait ignorer la singularité de ces femmes porteuses de bâton, de ces corps nus, atypiques, équation d'une féminité inconnue qui semble ainsi s'offrir à la mesure et à la norme.

De la même manière, nombre des dessins, à caractère plus ou moins direct d'autoportrait, jalonnant la fin de l'année 1906 pourraient être rapprochés de la carte « Fillette danseuse de la région de Kouroussa »[205]

198. Z II* 23, D-R 38.

199. Paris, été-automne 1907, Z II* 47, D-R 95.

200. MP 535, 536 et 537, pas dans Z.

201. Z II** 662, D-R 26, MP 16.

202. Z XXVI 18, D-R 23.

203. CF 1034.

204. Z VI 906, D-R 16 et Z XXVI 190, D-R 17, MP 13.

205. CF 1006.

(fig. 73). On sait l'ambiguïté sexuelle qui caractérise la genèse des figures du tableau de 1907, certaines des études restant de sexe indécis ou débouchant sur telle ou telle des « Demoiselles » après s'être rapportées aux deux personnages masculins – marin ou étudiant en médecine – que la composition finale n'a pas conservés. De même, au stade des études, la très jeune danseuse qui, au premier regard, évoque plutôt un garçonnet, aurait inspiré plus d'une œuvre de cette période[206]. Pourraient également être évoqués le traitement du crâne et la posture du *Jeune garçon nu* (fig. 71) du musée Picasso[207].

Le regard peut aussi s'attarder sur une autre carte postale figurant un groupe de trois femmes foulbé[208] (fig. 76). De part et d'autre d'une porteuse de bâton, se dressent, placées en miroir, deux modèles à la poitrine nue. Le *Nu de profil marchant*[209] (fig. 75), la gravure sur Celluloïd *Nu debout I*[210] (fig. 74) et certaines planches du Carnet 1 des *Demoiselles*[211] entretiennent avec le cliché des liens étroits où la structure anatomique du nu musculeux emprunterait à chacun des deux modèles latéraux. On peut lire, de proche en proche, le profil et la ligne contrariée du buste qui intègre le sein de la femme de gauche et dessine une courbe ambiguë le long des clavicules et jusqu'à l'épaule. A partir de l'un des feuillets[212], on voit comment le sein droit du personnage sera transformé en un sein gauche, laissant croire à un extraordinaire développement du thorax ou à l'implantation déjetée du bras. Les recherches sur la coiffure/casque prendraient également leur source dans la parure sophistiquée des jeunes filles foulbé qui rassemble les cheveux sur l'arête du crâne en une crête architecturée. La gravure *Nu debout I* la traduit en un petit chignon serré, semblable à celui que l'on prête généralement à Fernande. On verra ainsi dans ce personnage à l'anatomie disloquée l'une des possibles sources du nu de gauche dans les *Demoiselles* plutôt que de celui de droite. En effet, si le haut du corps emprunte à la femme foulbé, la posture et le traitement du torse et des jambes procéderaient de l'homme du couple bobo dont *Deux Femmes nues* de l'automne 1906 conservaient également la trace. De là la singularité de ce corps qui serait mi-homme, mi-femme et préparerait à la métamorphose de l'étudiant. Nombre des approches graphiques de la tête de ce personnage[213] attestent les correspondances avec la figure bobo : forme ovoïde du crâne, dessin du profil, avancée de la bouche, placement des ombres (fig. 66). Quant aux fameuses mèches « primitivistes » qui sont traditionnellement reçues comme une citation ibérique, elles pourraient s'être aussi inspirées de ces petites tresses rabattues en arc de cercle sur les tempes et le front de l'homme bobo. Enfin, l'image d'une « Jeune fille Sonrhaï »[214] cambrée, un bras derrière le dos, présentant une coupe sphérique (fig. 77), aurait aussi été sollicitée dans l'élaboration de l'étudiant.

---

206. L'œuvre la plus littérale dans sa transcription du cliché est le dessin figurant le personnage en pied (Z VI 922) où la position des bras est interprétée pour donner cette posture torse, les mains derrière le dos (fig. 72). Cinq autres œuvres (*Autoportrait*, Z II 1, D-B XVI 26, MP 8, *Buste d'homme*, Z XXVI 12, D-R 22, MP 14, *Tête de jeune homme*, Z I 371, D-B XVI.27, *Autoportrait à la palette*, Z I 375, D-B XVI 28, *Tête de garçon*, Z VI 892, D-B XVI 29) reprennent la forte dissymétrie entre les yeux du modèle, dont l'un est une simple ligne soulignée de noir, l'autre un cercle d'ombre où la prunelle détache deux points blancs. La bouche, très dessinée, avec sa lèvre inférieure apparaissant blanche entre deux zones sombres, est bien identifiable dans *Tête de garçon*. La forme du nez, l'implantation des cheveux rasés et tressés serré sont le plus souvent reprises. La position de la main est également conservée dans *Autoportrait à la palette* qui illustre par ailleurs le principe d'équivalence éventail/bâton/miroir/palette énoncé à partir de *La Femme à l'éventail*.
207. MP 6, pas dans Z ni dans D-B, cf. Palau i Fabre, fig. 1384.
208. CF 1055.
209. Z XXII 468, MP 523.
210. G 19, quatre états, MP 1906 à 1908.
211. Notamment les feuillets 14 R, 24 R, 26 R et, pour les études de mains et de pieds, 11 R et 28 R.
212. Carnet 1, feuillet 24 R.
213. Notamment *Profil d'homme* (Z XXVI 16, D-R 10, MP 530), *Homme debout de profil* (Z VI 904, D-R 11, MP 531), *Visage* (Z XXVI 14) et les feuillets 23 R, 35 R, 32 V et 33 V du Carnet 3 (MP 1861).
214. CF 1021.

Le geste ferait écho à celui par lequel le personnage masculin, un temps, aura porté un crâne ou rejeté vers l'arrière le rideau de scène des *Demoiselles*[215] (fig. 78). Intervenant à différents stades de l'invention de la « Demoiselle » de gauche, se superposeraient ainsi la posture et la nudité musculeuse du Bobo, le geste de portage et d'offrande de la fille sonhraï, des éléments – le buste, le bras, la main – de la femme foulbé. Fragment par fragment, ce travail pictural de « montage » aurait associé les propositions venues des clichés et les matériaux d'autres origines. Autant de déterminations hétérogènes qui expliqueraient tant la réversibilité sexuelle du personnage au cours de son élaboration que la singularité formelle de son aboutissement. Chaque composante s'imbrique à l'autre pour dresser l'édifice plastique et dynamique d'un corps qui, telle l'anatomie factice d'une *Eve future*, conserve latents les antagonismes de cette complexe gestation. A ce stade proto-cubiste, la peinture expose ainsi son propre travail d'assemblage où les lignes de suture ordonnent la géométrisation du dessin. Et ce serait bien comme résultante de ces contraires qu'en définitive vivrait plastiquement la « Demoiselle » de gauche.

Pour ce qui est des deux « Demoiselles » voisines, l'une assise, l'autre debout, une référence commune au sein du fonds Fortier pourrait être recherchée dans les nombreux portraits de femmes présentées les bras relevés ou rejetés en arrière. Nous avons vu comment le cliché de la jeune Cérère[216] avait pu être l'une des voies conduisant aux *Nus de face* du printemps 1907 qui préparent l'avènement de la « Demoiselle » debout aux bras levés. Mais six autres clichés au moins[217] seraient à rapprocher des deux personnages jumeaux du tableau. L'une des cartes Fortier[218] (fig. 81), par l'angle très relevé qu'y présentent les bras du modèle, évoque assez précisément l'aquarelle *Nu de profil aux bras levés*[219] (fig. 80) et, associé à l'apport de la femme cérère, s'inscrirait dans la naissance de la « Demoiselle » debout. Pour sa compagne assise, on pourrait plutôt se reporter à l'étude « Fille Soussou »[220] (fig. 79) qui unit dans la même pose un bras relevé à la verticale et une main rabattue sur la taille, tenant les plis de sa jupe de toile.

La « Demoiselle » qui, à la droite du grand tableau, écarte les rideaux emprunterait, elle aussi, à l'un des clichés de jeune fille cérère[221] (fig. 70). Le modèle qui écarte de son buste le voile lui couvrant tête et corps y est simplement traduite comme passant le visage dans l'ouverture d'un rideau. L'analyse iconographique à laquelle s'est livré William Rubin a établi par quelles étapes était passée la naissance du personnage[222]. Dans nombre de ces études, le rabattement du bras de la jeune indigène est bien identifiable ; la version finale de la « Demoiselle » ne laissera cependant visible que les avant-bras du sujet. *Tête de femme à la peinture rouge*[223] partage avec le cliché la légère ouverture de l'œil droit dont il propose un traitement que conservera le tableau, le nez épaté, l'effacement du menton, mangé par l'ombre sur la carte Fortier. On mesure également les distances que prend l'artiste : placement d'une oreille au coin de l'œil, chromatisme traduisant dans un registre incarnat la coloration ethnique du modèle. La peinture aurait aussi repris comme une chevelure noire, lissée dans le cou, le cerne d'ombre qui, sur le cliché, détoure la silhouette. De même, la tension du voile sur la tête circonscrirait la coupe crânienne de la « Demoiselle ». Le sein triangulaire pointant sur l'ombre, la croix oblique partageant le torse en losange viendraient également de la photo où la poitrine est découpée par le croisement d'un collier de perles et de deux fines cordelettes.

---

215. Carnet 3, 37 V (Z XXVI 45), 18 R (Z XXVI 73), 17 V (Z XXVI 74).
216. CF 1034.
217. CGF 1325, 1352, 1353, 1357, 1368 et 1402.
218. CGF 1368.
219. Z VI 992, MP 540 R.
220. CGF 1402.
221. CF 1032.
222. Cf. Rubin 3, p. 442-443.
223. Z XXVI 17, D-R, 21, Succ. 12076.

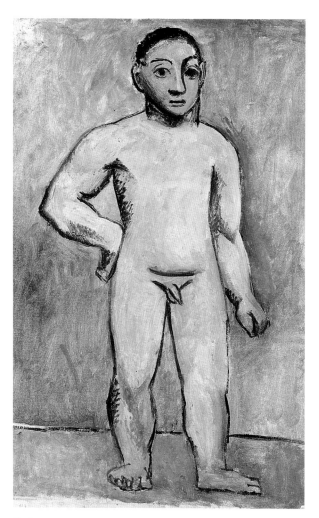

Fig. 71
Jeune garçon nu
Paris, automne 1906
Huile sur toile
67 x 43 cm
Paris, musée Picasso

Fig. 72
Jeune garçon nu debout
aux mains croisées derrière le dos
Paris, 1906
Encre de Chine sur papier
31,7 x 24 cm
Collection particulière

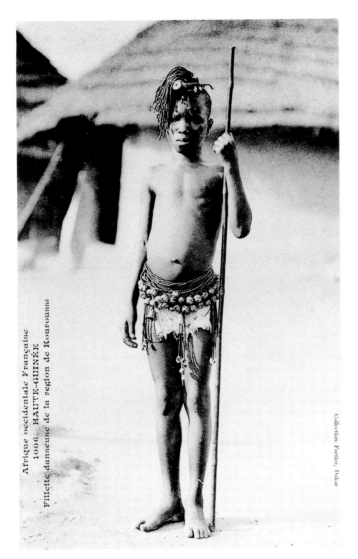

Fig. 73
Edmond Fortier
Fillette danseuse de la région
de Kouroussa
Afrique occidentale, 1905-1906
Collotypie (carte postale)
Paris, archives Picasso

Fig. 74
Nu debout I
Paris, hiver 1906-1907
Monotype
(pointe sèche sur celluloïd)
1ᵉʳ état
22,8 x 15 cm
Paris, musée Picasso

Fig. 75
Nu de profil marchant
Paris, hiver 1906-1907
Fusain et crayon noir
sur papier
63 x 48 cm
Paris, musée Picasso

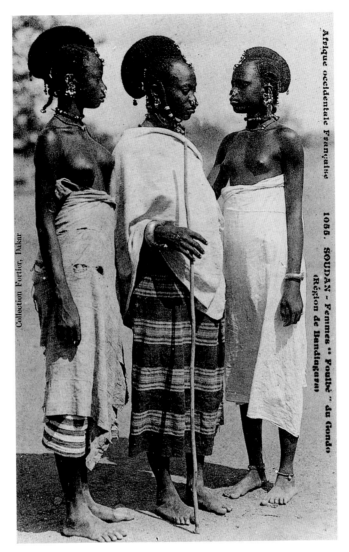

Fig. 76
Edmond Fortier
Femmes Foulbé du Gondo
Afrique occidentale, 1905-1906
Collotypie (carte postale)
Paris, archives Picasso

Fig. 77
Edmond Fortier
Jeune fille
Sonrhaï de Tombouctou
Afrique occidentale,
1906, Collotypie
(carte postale)
Paris, archives Picasso

Fig. 78
Etude pour « Les Demoiselles
d'Avignon » : l'étudiant en médecine
Paris, printemps 1907
Gouache sur papier
64 x 49 cm
Paris, musée Picasso

Fig. 79
Edmond Fortier
Fille Soussou
Afrique occidentale, 1906
Collotypie (carte postale)
Paris, archives Picasso

Fig. 80
Etude pour « Les Demoiselles
d'Avignon » : nu de profil
aux bras levés
Paris, mai-juin 1907
Aquarelle sur papier
22,3 x 17,5 cm
Paris, musée Picasso

Fig. 81
Edmond Fortier
Femme Foulah
Afrique occidentale, 1906
Collotypie (carte postale)
Paris, archives Picasso

Avant d'en arriver à la « Demoiselle » assise de dos, jambes ouvertes, il nous sera utile d'interroger les origines de la composition d'ensemble. Cela a été souligné par les témoins comme par les exégètes, *Les Demoiselles d'Avignon* résulteraient d'un travail en deux phases distinctes[224]. Mais le passage de sept à cinq personnages ou l'évolution du format de l'horizontale à la verticale, s'ils traduisent une certaine hésitation sur la mise en place exacte de la construction, manifestent surtout l'existence d'un projet d'ensemble venant ordonner toutes les études de détail. Nombre des figures, postures, détail du traitement, tout ces éléments peuvent changer sans vraiment rompre avec un schème présent dès l'origine. William Rubin souligne cependant le mystère qui continue à entourer le passage à la formulation finale du tableau : « Pour le projet d'ensemble, il n'y a que l'aquarelle de Philadelphie et le petit brouillon de dernière minute. Pour les personnages isolés, quelques études à l'huile ne font pas trop de doute, et il y a quelques croquis de travail dans les carnets. Comment expliquer cette relative pénurie ? (…) Dans ce dernier cas, Picasso semble avoir eu une image mentale nette et détaillée de ce qu'il voulait faire au moment où il s'attaquait à la toile (ce qui ne l'empêchait pas d'apporter des changements notables dans le cours du travail). Cela voudrait dire que Picasso avait une capacité peu commune de composer des tableaux dans sa tête, de faire mentalement des suppressions et des ajouts, et de conserver longtemps dans sa mémoire des aspects très précis de ces images »[225]. La question est posée avec une rare clairvoyance. Comme un élément de sa réponse, nous avancerons l'hypothèse que l'une des images si « nettes et détaillées » que Picasso avait alors « dans sa tête » – mais aussi sous les yeux – fut précisément l'un des clichés africains retrouvés dans ses archives.

Le scénario aurait alors été le suivant. A l'automne 1906, le peintre entre en possession d'un lot des toutes récentes cartes postales d'Edmond Fortier. Son travail y puisera les nombreuses références que nous avons tenté de repérer ci-dessus. Mais son choix comporte également un cliché un peu différent[226]. Composé à l'horizontale, celui-ci, intitulé « Types de Femmes » (fig. 82), a été pris lors du grand voyage de Fortier au Soudan en 1905-1906[227]. Le groupe compte neuf personnages, six debout et trois accroupis. Dès l'origine de sa conception, Picasso aurait pu être frappé par la frontalité absolue de ce dispositif et la typologie de ces sujets féminins, debout bras levés en des gestes de portage ou au sol, triant des graines dans des calebasses hémisphériques. Il dut aussi s'attacher à la semi-nudité de ces femmes, poitrine et jambes dévoilées, à la prégnance des toiles drapées, serrées, nouées, aux variations de ce motif de rayures retissant toute l'image de son architecture linéaire. L'artiste aurait alors cheminé, rassemblant autour de l'idée d'une scène de bordel, les multiples éléments et références picturales que les spécialistes de son œuvre ont su identifier. Il l'aurait cependant fait sans jamais perdre de vue les suggestives propositions d'ensemble du cliché africain ni certains de sès « aspects très précis ». A ce point, Picasso multiplie les approches de chacun des personnages, obéissant à une scénographie implicite qui n'évoluera que peu. On l'a vu, les portraits Fortier inspireraient alors de nombreux éléments constitutifs des figures. Certaines variations pourraient être lues comme des retours éclairs au cliché de groupe[228].

224. A l'occasion de son analyse des carnets de l'artiste et s'appuyant sur le témoignage de Kahnweiler, Pierre Daix écrit : « Picasso parlait de "deux périodes de travail", ce qui correspond à la sorte de bifurcation, tant vers ce qui va devenir le *Nu à la draperie* que vers les expériences sur le vieux paysan de Gosol, qui se manifeste avec les Carnets 7 » (cf. Daix 4, p. 536). Il ajoute : « Si les déformations primitivistes changent de nature entre les deux périodes de travail sur *Les Demoiselles*, c'est essentiellement à force de réflexions et d'essais. Et l'on vérifie très bien dans les carnets que *Les Demoiselles* ne sont ni le terme, ni le summum de cet accroissement de sauvagerie et de violence. Elles en sont le manifeste artistique ».

225. Cf. Rubin 3, p. 453.

226. CF 1072.

227. Cf. David 1, p. 508-534.

228. Ainsi l'apparition de la chienne Fricka, s'agrippant à la cuisse de l'étudiant, autant qu'à la circonstance « biographique » de la naissance de chiots, ferait écho à l'affectueuse pression qu'un bouc blanc exerce sur la hanche de l'une des Africaines.

Puis, après une période consacrée notamment au *Nu à la draperie*, le peintre en reviendrait à la carte « Types de Femmes ». Il la verrait alors autrement, d'une manière plus littérale. L'effet de parade résultant de cet alignement des corps, mais aussi la solitude propre à chacune des figures noires se détourant sur l'espace clair du fond, le hiératisme des postures, la géométrie anthropomorphe prendraient alors le pas – plastiquement – sur la narrativité du projet initial. Le peintre laisserait de côté les deux personnages qui, de part et d'autre du cliché, se dressent telles des caryatides encadrant le bas-relief du groupe [229]. Il s'attacherait aux sept autres jeunes femmes. Un travail de permutation ou de condensation entre les diverses figures passerait par l'aquarelle de Philadelphie [230] qui ne retient déjà plus que cinq personnages. Le cliché ainsi « recadré » fournit un puissant schéma constructif basé sur deux triangles inégaux dressés de part et d'autre de l'axe vertical formé par la femme portant une coupe sur le haut du crâne. A l'intérieur du plus grand triangle, se dessine, autour du pilon, une forme homothétique délimitée par le bord de la robe rayée et les ombres portées sur le buste du modèle E. A ce dernier triangle correspondrait, dans le tableau final, le coin de table portant la nature morte. Par un rapide déplacement métonymique, les moitiés ou portions de calebasses qui abondent sur le cliché trouveraient ici leur équivalent formel avec la symbolique tranche de pastèque. Quant au bouquet visible dans plusieurs feuilles d'étude [231], il fusionnerait optiquement le mortier, ou la grande coupe, le bras de la femme E qui en formerait l'anse, la scarification florale qu'un examen attentif du cliché permet d'observer, s'épanouissant sur son abdomen et entre ses seins.

A cette étape d'élaboration du tableau interviennent les collages composites d'où procéderait le nu de gauche. Les autres personnages mêleraient alors aux diverses influences qu'ils incorporent, les suggestions propres au cliché de groupe. Le visage-masque de la « Demoiselle » debout aux bras levés n'est pas sans analogie avec celui de la femme G qui refuse de regarder le photographe [232]. De même, la géométrie des bras des femmes C et G (fig. 85 et 86) trouvent écho dans les recherches *Nu de face* [233] (fig. 88) et *Nu de dos* [234] qui semblent récapituler les esquisses du Carnet 4. Un quadrangle anatomiquement impossible s'y donne comme une traduction assez fidèle de la ligne que les membres supérieurs tracent dans l'espace lorsqu'ils rejoignent le bord vif des larges coupes, polygones déformés que Picasso résume en une pose bras sur la tête. Les femmes debout du cliché échangent cependant, par glissements successifs, leurs postures ou leurs attributs. Ainsi la figure G du cliché servirait autant de patron à la « Demoiselle » de droite, le geste du portage avec la main cramponnée de chaque côté de la calebasse devenant l'étirement qui entrouvre le rideau. Les deux figures occupent la même place dans leurs espaces respectifs et se définissent semblablement par deux angles, l'un saillant au coude droit, l'autre rentrant au creux de leur flanc gauche. Mais le même modèle aurait aussi bien aidé à bâtir la « Demoiselle » debout du centre, en qui l'on reconnaît le biais de la tête logée dans l'angle du bras où pointe le chignon, le dessin de l'oreille, l'inclinaison et la modénature du buste, le drapé à mi-hanche. De la femme F, la peinture ferait, de même, le personnage assis au bras levé en lui empruntant l'orientation

---

229. Comme extérieures au groupe, l'une porte d'ailleurs le regard hors champ tandis que l'autre s'absorbe en elle-même, yeux baissés.

230. Z II* 21, D-R 31.

231. Rapprochée par Pierre Daix du feuillet Carnet 11, 5 R que Zervos interprète comme un vase, il s'agit de la feuille d'étude (Z VI 962, Succ. 1066) où figure « un pot portant une plante à trois tiges » et de la gouache 6 R du Carnet 13 qui comporte un motif semblable. Cf. Daix 4, p. 536 et ill. 53.

232. Ceci est particulièrement sensible si on se réfère à la gouache *Nu de face* (Z VI 906, D-R 16) qui en constitue probablement l'étude : ellipse de l'orbite vide, jeu des ombres sur l'arrondi du visage transcrit en gouache claire sur le fond sombre, tête tronquée comme elle l'est par le bandeau et le rouleau de tissu.

233. Z XXVI 190, D-R 17, MP 13.

234. Z XXVI 189, D-R 19, MP 12.

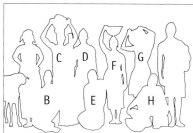

Fig. 82
Edmond Fortier
Types de femmes
Afrique occidentale, 1906
Collotypie (carte postale)
Paris, archives Picasso

Fig 83
Les Demoiselles d'Avignon
Paris, 1907
Huile sur toile
243,9 x 233,7 cm
New York,
The Museum of Modern Art,
acquis grâce au legs Lillie Bliss

Fig. 84 (p. 98-99)
Edmond Fortier
Types de femmes (détail)

Fig. 85-86
Edmond Fortier
Types de femmes
(détails : femme C et G)

Fig. 87
*Etude pour la demoiselle
aux bras levés : nu de face*
Paris, 1907
Gouache sur papier
63 x 46,5 cm
Norwich, University
of East Anglia
Collection Robert
and Lisa Sainsbury

Fig. 88
*Etude pour la demoiselle
aux bras levés : nu de face*
Paris, 1907
Huile, crayon et fusain
sur papier
131 x 79,5 cm
Paris, musée Picasso

de la tête par rapport au membre à l'oblique, la dissymétrie des épaules, le bras gauche, à peine modifié, le mince triangle qui le sépare du corps, la main frôlant le tissu.

Les trois femmes accroupies condenseraient leurs caractères dans l'élaboration de la « Demoiselle » jambes ouvertes, le visage de celles de droite et de gauche inspirant également plusieurs études de têtes[235] (fig. 89 et 90). La femme H, à l'inverse de son homologue dans le tableau, se présente de face. Une étude au moins pour cette « Demoiselle »[236] (fig. 91) la montre cependant tournée vers le spectateur, assise sur un volume peu différent du petit siège de rondins attachés dont le modèle africain fait usage et se posant, comme ce dernier, poitrine saillante, bras sur les genoux. Ainsi que les esquisses l'attestent, Picasso choisit précocement de retourner cette « Demoiselle » vers le marin à qui elle réserverait la vue de son sexe. Mais dans cette nouvelle posture, elle continuera, jusque dans la composition définitive, à regarder par-dessus son épaule, la main gauche semblant dévisser la tête pour la maintenir vers le spectateur du tableau. La forme étrange de cette main se trouve cependant toute entière circonscrite par l'ombre portée du visage penché de la femme H, ombre qui semble lui dessiner un menton géométrique et s'incurve sur l'épaule (fig. 92). Bien plus, l'architecture de sa tête ovale et l'expression de son sourire rêveur se retrouveraient dans plusieurs études du Carnets 8[237]. En outre, sur le cliché, la jupe de toile, tendue par la position accroupie de la femme, forme un seul arc pour les deux fesses auquel répond une courbe jumelle dessinée par la tranche de calebasse. Est-ce dans cette juxtaposition que Picasso a trouvé le patron de la ligne qui marque l'écartèlement de son sujet vu de dos ? La posture de la femme africaine, pour être suggestive, restait marquée par une astreinte que l'artiste aurait fait exploser. Comme si, oppressé par la tension régnant dans ce corps au travail, genoux contre les seins, cuisses entravées par le pagne, bras enserrant les jambes, il avait voulu, tout en le dénudant, le libérer de ces forces de contention[238].

Sur le cliché comme dans le tableau, un même rapport singulier s'établit entre cette femme accroupie et la figure verticale qui la domine. Les deux personnages constituent une sorte d'unité perceptive que la photographie détoure nettement sur le fond clair. A propos de l'aquarelle de Philadelphie, Leo Steinberg soulignait comment « l'épaississement des intervalles » y dessinait les figures de la moitié droite du tableau « en formes négatives sur fond obscur »[239]. En inversant chromatiquement les valeurs données par le cliché, Picasso aurait ainsi conservé leur vive opposition visuelle. Ce serait comme une expérience appliquée de la persistance rétinienne en négatif si bien décrite par Goethe[240]. Une tel renversement du contraste n'est d'ailleurs pas sans rapport avec la procédure photographique elle-même. L'artiste aurait, en quelque sorte, considéré le cliché africain comme le « négatif » de la peinture à venir. Ainsi lorsque le regard examine une pellicule photo impressionnée, l'œil tend instinctivement à rétablir les valeurs « naturelles ». Dans l'exemple évoqué plus haut de l'*Autoportrait à la canne* (fig. 15), le découpage d'un cliché donnait forme matérielle à cette séparation contour/sujet/fond, dans une visée simplificatrice dont nous avons suggéré le lien à l'expérience du théâtre d'ombres. Cette même force expressive du *détourage*, selon nous directement importée de l'expérience photographique, se manifestera par la suite

---

235. Notamment, *Buste de femme à la tête rouge*, Z XXII 470, D-B D XVI 24, et *Buste de femme*, Z VI 856, D-B D XVI 23.
236. Z XXVI 49, Carnet 9, MP 1861, 47 R.
237. Carnet 8, MP 1859, feuillets 2, 2 R, 9 R, 10 R, 11 R, 12 R, 22 R, 24 R, 37 R et 38 R.
238. Entre la photographie et la figure assise du tableau, d'autres homologies pourraient être recensées : le jeu bras/jambes ; le trapèze où s'inscrit l'orbe du sein, visible sur le flanc gauche de la « Demoiselle » comme il l'est sur l'aisselle droite de l'indigène.
239. Cf. Steinberg, p. 354.
240. Celui-ci explique comment si, après avoir longuement observé une fenêtre se détachant en contre-jour devant le ciel, on pose le regard sur une surface neutre, « ce sont les vitres qui nous paraîtront sombres et les traverses claires », cf. Goethe, p. 94.

aussi bien dans les « papiers découpés photographiques » des années 1912-1913 qu'avec les photogrammes et clichés-verre réalisés avec Dora Maar en 1936 ou lors des expériences poursuivies en compagnie d'André Villers à la fin des années cinquante[241]. Ici, c'est la photogénie propre à ces corps noirs, absorbant la lumière ou réfléchissant les rayons solaires dans une douce luisance, qui aurait sollicité l'œil d'une manière inaccoutumée. Il appartenait alors au travail du peintre de savoir projeter en silhouettes lumineuses sur l'écran de son tableau les figures d'ombre de ces femmes au marché. Leo Steinberg l'a bien décelé dans sa longue analyse des divers personnages du tableau : « La peinture maintient avec une logique impitoyable l'isolement de chaque figure, et celui qui regarde est constamment dans l'obligation de s'orienter entre des modalités picturales divergentes. En allant de gauche à droite : la figure en lever de rideau inscrit comme une incision sa forme plane – un relief en creux sur un fond qu'on aurait supprimé ; (…) Aucune continuité ne [la] rattache à la prochaine »[242] etc. La référence au cliché Fortier pourrait, dans une certaine mesure, éclairer la genèse d'un tel dispositif formel. Silhouettes perçues comme sur le fond transparent d'une vitre, traduction du motif dans une sorte d'empreinte pigmentaire, corps réduits à une *Gestalt* géométrique, halos nés du violent contraste ombre/lumière… tels seraient certains des modes de lecture visuelle reliant le théâtre d'ombres, l'image photographique des Africaines au marché et les figures des *Demoiselles d'Avignon*, ces formes qui n'entendaient plus que « signifier » le monde extérieur. A cette fin, Picasso aurait donc bien employé sa source photographique comme la matrice négative dont il aurait, littéralement, *tiré* une *épreuve* picturale : *Les Demoiselles d'Avignon*. Le noir y devient rose. Le sol, l'arrière-plan du village, le ciel ordonnent une charte de valeurs claires dont on trouverait l'équivalent, mis à la verticale, dans les bandes ocre rouge, gris beige, bleu, brun, qui ferment l'espace du tableau[243]. La fameuse formule d'André Salmon au sujet des *Demoiselles* – « Ce sont des problèmes nus, des chiffres blancs au tableau noir »[244] – pourrait assez bien décrire et le point de départ et le mouvement qui aurait conduit à la peinture : l'équation de corps nus et noirs sous la lumière que l'œil occidental d'un Andalou iconoclaste tente d'interpréter sur sa toile blanche…

Pierre Daix, dans l'un de ses premiers commentaires du tableau, faisait observer ce « quelque chose de très singulier » : « Alors que les trois filles de gauche ont l'air d'avoir été figées par une vue instantanée, les corrections de Picasso donneront l'impression que les deux filles de droite bougent »[245]. Les deux termes de cette opposition picturale pourraient bien être marqués par leur commune source photographique. Les figures de gauche traduiraient plus directement la rigidité de la prise de vue, la tension dynamique de celles de droite exprimant la condensation plus complexe de motifs dont elles sont issues aussi bien que le brutal retournement subi par le personnage accroupi. William Rubin a, pour sa part, émis l'hypothèse que la disposition des modèles « reflétait peut-être l'influence de l'aspect frontal des photographies de groupe de cette époque »[246]. Il se fondait en cela sur une observation de Michael Leja selon lequel la présentation d'un « groupe de prostituées dans des poses qui indiquent le racolage et sont directement destinées au spectateur, était courant dans les photographies érotiques et pornographiques

---

241. Sur ces diverses expériences, cf. Baldassari 1, p. 229-243, et Baldassari 2, p. 49-59 et 219-255.

242. Cf. Steinberg, p. 354.

243. Pierre Daix a souligné la transformation de la conception de l'espace qu'introduit ce fond « sans éclairage, fermé par un système de plans bleus qui ne se raccordent plus » par rapport à l'arrière-plan plus réaliste de *Deux femmes*. Il précise : « La destruction systématique de tous les repères de profondeur par rapport à ces plans – dont de surcroît les bleus déroutent l'œil – achève de nous placer devant un espace qui n'existe que dans les rapports de construction des volumes ». Cf. Daix 2, p. 264-265.

244. Cf. Salmon, p. 673.

245. Cf. Daix 2, p. 265.

246. Cf. Rubin 3, p. 434.

Fig. 89
Tête de femme
Paris, 1906-1907
Crayon noir sur papier
13,5 x 10,5 cm
Carnet 8, MP 1859, 2R
Paris, musée Picasso

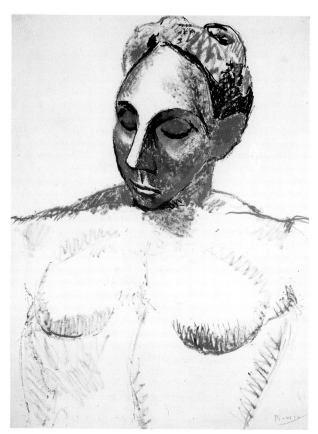

Fig. 90
Buste de femme à la tête rouge
Paris, 1906-1907
Gouache sur papier
63 x 47 cm
Paris, musée national
d'art moderne

Fig. 91
*Etude pour la demoiselle
accroupie de dos : nu assis,
jambes écartées, de face*
Paris, mars-juillet 1907
Crayon noir sur papier
19,5 x 24,3 cm
Carnet 9, MP 1861, 47 R
Paris, musée Picasso

Fig. 92
Edmond Fortier
Types de femmes
(détail : femme H)

de cette époque »[247]. Leja remarquait cependant : « Il n'y a par contre aucune trivialité dans *Les Demoiselles* pour tempérer la gravité implacable de la menace, réelle et imminente, que les femmes symbolisent »[248]. S'il rapporte, de manière hypothétique, une telle expression de menace au péril véné-rien, cet auteur a bien souligné le caractère photographique de la fixité comme de la frontalité que manifeste le tableau. Ces traits sont déjà présents dans le document de Fortier. On pourrait aussi y trouver la vraie source d'une « gravité implacable » bien éloignée d'une scène de bordel. Ce serait l'expression du refus, ou du moins de la distance dont les modèles témoignent à l'égard de la prise de vue. Quatre d'entre ces femmes tiennent les yeux baissés, une autre se détourne, aucune ne fait face au photographe. Et si Picasso trace une prunelle « ibérique » sur l'orbe de leurs paupières baissées, le regard qu'il leur donne, vide, droit, accusateur, délivre en définitive le même message.

AFRIQUE, OCÉANIE, ASIE OU LA DÉRIVE DES CONTINENTS

Analysant les liens morphologiques entre certaines des études inspirées par l'aubergiste de Gosol, Josep Fontdevila, et la configuration du visage de la « Demoiselle » accroupie, Pierre Daix souligne les origines purement ibériques de ce qui avait pu être perçu comme « un masque nègre horrible »[249]. Nous l'avons vu, l'une des femmes au marché d'Edmond Fortier aurait également contribué à la mise au point du personnage. Mais l'attention mérite aussi d'être attirée sur les similitudes existant entre cer-taines des études du vieillard et un portrait carte de visite conservé par Picasso qui figure probablement un indigène maori de Nouvelle-Zélande (fig. 98). Celui-ci est sommairement vêtu d'une couverture faite de plumes d'où émergent le cou et l'épaule. Cette nudité à la tête aiguë, aux joues labourées de motifs spiralés, pourrait avoir été précocement associée au travail suscité par le modèle catalan. Ce serait même cette fusion qui aurait permis à Picasso de faire accéder la figure de son ami aubergiste au statut d'une sorte d'icône transhistorique. Les portraits que l'on rapporte au séjour même à Gosol paraissent comme équidistants de leur modèle vivant et de l'indigène de la photographie. Ils se limitent tous à une vue de la tête ou du buste, ne s'écartant pas, en cela, du cadrage du cliché coupé en deux par le manteau d'où surgit le corps nu. *Tête d'homme*[250] (fig. 99) s'en rapproche plus particulièrement, le sujet y montrant des cheveux courts et hirsutes, alors que Fontdevila, à en croire les deux autres *Tête de paysan*[251], était totalement chauve[252]. Le dessin *Buste d'homme*[253] (fig. 100), *Tête d'homme*[254] ou le feuillet du Carnet 13 portant le même titre[255] laisseraient apparaître plus littéralement encore ce modèle maori.

A cette étape, la structure géométrique du corps et des scarifications rejoignent les recherches picas-siennes autour de la figure de l'*Homme aux mains jointes*. Il a été établi que cette série d'études se réfère à André Salmon aussi bien qu'à Fontdevila[256]. Mais le motif des mains jointes ou l'articulation épaule/bras mériteraient également d'être lus dans leur homologie avec la structure que le cliché d'indigène établit entre la main, le manche, la pièce de métal. Une autre source photographique y serait aussi discernable.

247. Cf. Leja, p. 76-77, cité par William Rubin, cf. Rubin 3, note 6, p. 435.
248. *Id.*
249. Cf. Daix 5, p. 375.
250. Z I 346, D-B XV 52.
251. Z VI 770, D-B XV 54 et Z VI 769, D-B XV 53.
252. Une fois de plus, il faudrait d'ailleurs inverser le cliché pour que la parenté s'impose : ligne de la tête et de l'épaule, dissymétrie des yeux aux paupières affaissées, bouche plane, commissures écrasées, dessin de l'oreille.
253. 1907, Z II** 630.
254. 1907, Z VI 977.
255. Carnet 13, MP 1990-96, feuillet 9 R, Z VI 966.
256. Cf. notamment Daix 4, p. 514-517 et Rubin 5, p. 30-32.

Il s'agit d'une carte laotienne appartenant à la « Collection Raquez », série contemporaine de la campagne photographique Fortier, et qui présente un « Groupe de Nhahoeums »[257] (fig. 101). Les différentes figures de Fontdevila en pied ou assis empruntent, semble-t-il, à ce dernier cliché où cinq hommes se tiennent de face et deux de profil[258]. Remontée du côté des portraits en buste et des scarifications, la chaîne Fontdevila se serait ainsi nourrie de références au portrait maori ; explorée du côté des figures en pied, nues, bras croisés ou ballants, elle aurait fait usage de cette image du groupe de Laotiens (fig. 102). On pourrait aussi, à travers l'un des feuillets du Carnet 8[259] où le personnage debout, les mains jointes, paraît bien être une femme, retrouver à plus d'un titre les clichés d'Edmond Fortier[260]. Le motif du vieil aubergiste, presque obsessionnel au cours de cette année 1906-1907, aurait ainsi été le lieu d'un complexe syncrétisme visuel. Les cartes postales Fortier et Raquez, alors recemment parues, s'y seraient superposées au très ancien tirage à l'albumine de l'American Company of Photography pour se fondre avec les coordonnées ibériques de Fontdevila. Femmes noires d'Afrique, guerriers d'Asie et d'Océanie y fusionnent dans une généalogie imaginaire de l'indigène de Gosol. Une vision toute picassienne de l'histoire comme de la géographie où l'artiste édifie, pièce à pièce, les figures de sa mythologie personnelle.

Dans la galaxie picturale des *Demoiselles*, la série des correspondances avec le fonds Fortier pourrait encore placer plusieurs études de nus en regard de trois clichés consacrés à une jeune femme malinké[261]. D'une exceptionnelle beauté, le modèle pose tour à tour mains sur la tête (fig. 104), jointes sur l'abdomen, bras en arrière (fig. 97). Cette dernière image est visiblement celle à laquelle Picasso se serait le plus attaché, l'approche architecturale du corps s'étant faite en trois étapes, comme par un effet de *zoom* arrière. *Buste de femme nue*[262] arrête le portrait à la taille et se centre sur le visage (fig. 96). Du cliché procéderaient le modelé et la place des hautes lumières, le triangle que la coiffure découvre sur le front, le regard lointain, l'affûtement de l'oreille qui interpréterait l'emmêlement du lobe et des tresses. Le *Nu jaune*[263] campe le personnage à mi-jambe. Picasso retient de la pose le geste des bras fortement déjetés vers l'arrière. Il accuse la bascule du bassin dont la géométrie anguleuse est soulignée, sur le cliché, par le drapé serré du pagne. *Femme nue debout*[264] reprend ces mêmes traits pour une figure en pied. Picasso y exagère la vision en forte contre-plongée[265] que le cliché proposait de son modèle. Vu d'en bas, le corps musculeux donne à voir le sexe du sujet de manière aussi provocante que le font plusieurs feuillets des Carnets 11[266] et 12[267]. La première page du carnet suivant[268] qui présente une jeune femme dans un point de vue violemment ascendant pourrait aussi se rapporter à un autre cliché de femme

257. A. Raquez fit, en 1899, une campagne photographique au Laos qu'il utilisa pour illustrer *Pages laotiennes, Notes de voyage*, Hanoi, Schneider, 1902, et publia sous forme de cartes postales.

258. On y trouverait, notamment, la posture du troisième modèle à partir de la droite, tandis que le cinquième arbore ce geste des bras croisés, une main visible, doigt pointé, l'autre cachée, qui apparaît dans plusieurs des études, notamment les deux portraits de Fontdevila, Succ. 874 V (pas dans Z) et 877 R (pas dans Z). Son visage est également très proche de celui que propose le feuillet 877 R (fig. 102).

259. Feuillet 11 R, Z II** 612.

260. Par exemple, les clichés 1322 ou 1347.

261. CGF 1322, 1323 et 1325.

262. Z II* 24, D-R 41.

263. Z XXVI 281, D-R 39.

264. Z II* 40, D-R 40.

265. Nous avons souligné la prédilection de Picasso pour un tel angle de vue, récurrent dans ses portraits ou autoportraits photographiques. Cf. Baldassari 1, p. 57.

266. Carnet 11, f. 3 V, Z XXVI 145. Cf. Seckel 1, t. I, p. 268.

267. Carnet 12, f. 1 V et 2 V, Z VI 912 et 1037. Cf. Seckel 1, t. I, p. 272.

268. Carnet 13, MP 1990-96, f. 2 R.

Fig. 93
Edmond Fortier
Fille Malinké
Afrique occidentale, 1906
Collotypie (carte postale)
Paris, archives Picasso

Fig. 94
*Nu de face, mains derrière le dos ;
nu de profil*
Paris, juin-juillet 1907
Crayon graphite
et aquarelle sur papier
31,2 x 24,7 cm
Carnet 13, MP. 1990-96, 2 R
Paris, musée Picasso

Fig. 95
Tête d'homme
Paris, 1908
Huile sur bois
27 x 21 cm
Berne, Kunstmuseum, fondation
Hermann et Margit Rupf

Fig. 96
Buste de femme nue
Paris, juin-juillet 1907
Huile sur toile
81 x 60 cm
Collection particulière

Fig. 97
Edmond Fortier
Femme Malinké
Afrique occidentale, 1906
Collotypie (carte postale)
Paris, archives Picasso

Fig. 99
Tête d'homme
[Gosol, 1906]
Gouache et aquarelle
sur papier Japon
40,7 x 35 cm
Collection particulière

Fig. 100
Buste d'homme
(Josep Fontdevila)
Paris, 1907
Fusain sur papier
63 x 48 cm
Houston,
Collection de Ménil

Fig. 98
The American Photo Company
Portrait d'homme [maori]
[Nouvelle-Zélande, vers 1880]
Epreuve sur papier albuminé
(carte de visite)
Paris, archives Picasso

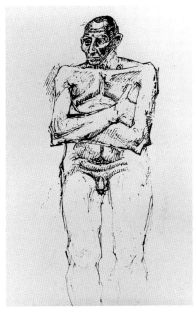

Fig. 101
A. Raquez, Hanoi
Groupe de Nhahoeums
Laos, [1905-1906]
Collotypie (carte postale)
Paris, archives Picasso

Fig. 102
Josep Fontdevila
1906
Encre de Chine sur papier
43 x 31,5 cm
Collection particulière

Fig. 103
Nu aux bras levés
Paris, printemps 1908
Gouache sur papier
32 x 25 cm
Paris, musée Picasso

Fig. 104
Edmond Fortier
Femme Malinké
Afrique occidentale, 1906
Collotypie (carte postale)
Paris, archives Picasso

malinké[269] (fig. 93 et 94). Là encore, Picasso aurait conservé l'ampleur et l'arrondi du geste des bras, mais placé les mains derrière le dos comme si, à ce même moment, le signe des mains jointes, présent dans plusieurs des clichés Fortier, était réservé aux figures masculines rapportées à Fontdevila.

Au-delà de l'achèvement des *Demoiselles*, un ensemble d'œuvres d'une richesse plastique sans précédent déclinera ce thème des femmes aux bras levés comme en écho aux clichés féminins de Fortier. L'ampleur de ce cycle, qui couvre les années 1907-1908, ne permet pas de recenser ici toutes les inférences. L'une des toiles jalonnant ce parcours fut parfois intitulée *Danseuse nègre*[270]. On y trouve également le *Nu aux bras levés* de 1908[271] (fig. 103) dont le chromatisme condenserait toute la charge émotionnelle et sensuelle des photographies africaines. Dans la manière proto-cubiste de cette gouache, il met au jour, comme avait pu le faire pour le jeune Cézanne le *Nègre Scipion*[272], une nouvelle plastique de la couleur. Après les éclatants accents roses, jaunes, bleus de l'époque des *Demoiselles*, cette sourde violence des terres annonce la palette qui accompagnera le tournant de Horta-de-Ebro. Evoquant cette période et le rôle qu'y joua la prise de vue photographique, nous avions relevé, sans en saisir alors toute la portée, ces mots griffonnés par Picasso, au printemps de 1909, sur une carte-lettre envoyée par Leo Stein : « L'humanité féminine, la femme d'Afrique »[273]. Ils trouveraient, au vu de l'extraordinaire dialogue entre les femmes foulha, malinké, cérèbes, foulbé, bambara, photographiées par Edmond Fortier, et tout un pan de l'œuvre de Picasso, leur pleine résonance. La femme d'Afrique y serait la mère génitrice de l'espèce et le couple bobo, Adam et Eve juste après avoir goûté au fruit de la connaissance, libres, nus, stupéfaits. Le périple photographique d'Edmond Fortier aura été le premier et le dernier à arpenter leur paradis perdu, le continent noir de leur altérité. Ainsi, deux années durant, le métèque du Bateau-Lavoir put-il se prendre à un tel miroir, mesurant l'archétype de cette humanité à l'aune de la peinture. « Il n'y a pas "d'art nègre" dans *Les Demoiselles d'Avignon* » ? Non, il y aurait juste, incarnation de la couleur, les visages et les corps de ces femmes d'Afrique.

En manière d'épilogue et pour revenir à la sphère intime, pourrait être évoquée la toile *Mère et enfant*[274] (fig. 106). A l'hiver 1907-1908, Picasso photographie Fernande Olivier et Dolly Van Dongen dans son atelier, posant devant les deux toiles majeures qui se partagent ces deux années, *Les Demoiselles d'Avignon*, ici recouvertes en partie par une toile imprimée, et *Trois femmes*[275] (fig. 107). Comme on l'a vu ailleurs, l'artiste poursuit tout au long du printemps et de l'été un projet photographique dont l'arrière-plan sera donné par ce dernier tableau[276]. Devant ce même fond seront pris les portraits d'André Salmon (fig. 105), de Sebastià Junyent, de Dolly Van Dongen, mais aussi des vues consacrées à des toiles de plus petite dimension. Cette recherche viendrait prendre le relais de l'exceptionnel exercice

---

269. CGF 1347. Cette carte, sans doute placée sur le dessus du paquet, porte les traces les plus nettes de brûlure de bougie. Elle pourrait également avoir inspiré le tableau de 1908, *Tête d'homme* (fig. 95, D-R 144, pas dans Z), où l'on peut discerner la structure du visage et la géométrie qu'y dessinent les ombres et les lumières ; c'est pourtant à propos de ce tableau ou d'un autre voisin de la même année, que Kahnweiler raillait l'opinion vulgaire qui l'avait « affublé du titre *Tête de nègre* », cf. Kahnweiler 2, p. 195.

270. *Femme nue les bras levés*, Paris, printemps-été 1907, Z II* 36, D-R 54.

271. Gouache, Z II* 39, D-R 165, MP 575 R.

272. Peinture de 1867. Dans une composition en « drapeau » se succèdent latéralement un fond noir d'encre, la masse du dos et du bras aux luisances brunes, une énigmatique forme blanc rosé qui pourrait être un drap. Cf. Cachin et Rishel, p. 98-99.

273. Baldassari 1, p. 154-155. Ecrite sur la même carte, une liste en espagnol de fournitures décline appareil photographique, crayons, pinceaux et couleurs à l'huile : Sienne brûlé et noir d'ivoire.

274. Z II* 38, MP 19.

275. 1908, Z II* 108, D-R 131.

276. Baldassari 1, p. 143-149, fig. 109 à 112.

de la vision que constitue le travail entrepris à partir du fonds Fortier. Elle aboutira en 1909 à une pratique du reportage photographique qui appliquera au paysage de Horta-de-Ebro et à ses habitants les principes d'une prise de vue ethnographique, à la fois brutale dans son constat et d'une rare liberté esthétique. Comme si, à une époque où le malentendu « pictorialiste » embue encore l'essentiel de la photographie d'art, l'incessant travail de transcription picturale opéré par Picasso lui valait une définitive intelligence de la spécificité expressive des deux médiums.

A l'hiver 1907-1908, l'artiste agit cependant comme s'il voulait mesurer la peinture et le vivant à l'étalon commun de l'enregistrement photographique. Ou, aussi bien, confronter figure peinte et représentation d'objets comme en témoignent les vues de natures mortes prises devant *Trois Femmes*. Cette expérience est suivie d'un retour vers la peinture. Le cliché représentant la jeune Dolly dans les bras de Fernande semble bien, en effet, avoir servi à l'élaboration de la toile *Mère et enfant* dont il fournit la construction d'ensemble[277]. L'expérience illustrerait la procédure en spirale par laquelle Picasso peut faire appel à la prise de vue photographique. D'abord, il met en scène œuvres et modèles dans un même espace physique, consigne leur adéquation contradictoire sous la forme d'une photographie. Si elle se donne pour un « portrait », celle-ci a pour véritable effet de ramener au même plan, d'égaliser, sujet et espace, modèle et atelier, modèle et œuvres. Tous les éléments sont semblablement réduits à ces traits photographiques communs : charte des valeurs, partition bidimensionnelle de l'image. Le travail de contamination formelle entre le figuré et le vivant est alors possible et suscite de nouvelles potentialités pour la peinture. C'est ainsi que *Mère et enfant* synthétise la disparité physique, stylistique, chromatique des deux tableaux qui se partagent l'espace de l'atelier et viennent signer cette toile sans rompre la matrice figurative que constitue pour elle le cliché. Un semblable jeu photographique sur les interférences sujet/œuvres/atelier, sera, l'année suivante, à la base de l'élaboration du *Portrait de Clovis Sagot*[278]. Systématiquement employée au cours des années cubistes où elle nourrit les éléments d'une figuration cryptée[279], elle trouvera de nouveaux développements à partir des années 1914-1917, lorsque Picasso semblera faire retour à une pratique plus classique du portrait.

A l'inverse, on pourrait considérer le portrait photographique pris par Picasso d'André Salmon devant *Trois femmes* (fig. 105) comme le dernier acte des multiples rôles que l'artiste avait réservés à son ami au cours de la grande geste picturale des années 1906-1907. Après l'avoir fait passagèrement étudiant en médecine, l'avoir associé à Fontdevila jusqu'à le confondre dans la même nudité, l'avoir croisé aux femmes noires de Fortier ou aux hommes nhahoeums du Laos, il lui demande de poser debout devant ce tableau conclusif de sa « période nègre ». Picasso se plairait ainsi rétrospectivement à incarner dans une photographie la fusion peinture/modèle/sources qui constitue secrètement sa mémoire de peintre.

---

277. On observera le motif de l'enfant au premier plan, occultant le buste de la femme, l'inclinaison divergente des deux têtes, l'une vers la droite, l'autre vers la gauche. Le chignon et le regard de Fernande, le visage de Dolly, réduit au masque de ses traits dominants, y seraient également identifiables. Le fond garde aussi trace de la ligne qui, sur le cliché, sépare les deux peintures tandis que l'imprimé qui recouvre les *Demoiselles* dicte l'esquisse d'un motif de feuillage. Les commentaires ont souvent souligné la violence chromatique de cette maternité, surprenante pour un tableau généralement daté de 1907. Nous proposerions de le considérer comme une œuvre charnière entre les *Demoiselles*, alors achevées, et *Trois Femmes*, toile aux rouges aigus qui apparaît au début de son élaboration sur le cliché dont, selon nous, *Mère et enfant* serait issu et de le dater, en conséquence, du printemps 1908.

278. Baldassari 1, p. 98-103, fig. 74 et 75.

279. *Id.*, p. 110-139.

Fig. 105
André Salmon dans l'atelier
du Bateau-Lavoir
Paris, 1908
Epreuve gélatino-argentique
12 x 9 cm
Paris, archives Picasso

Fig. 106
Mère et enfant
Paris, [1908]
Huile sur toile
81 x 60 cm
Paris, musée Picasso

Fig. 107
Fernande Olivier et Dolly Van Dongen
dans l'atelier du Bateau-Lavoir
Paris, 1908
Epreuve gélatino-argentique
17,7 x 13 cm
Archives Jeanine Warnod

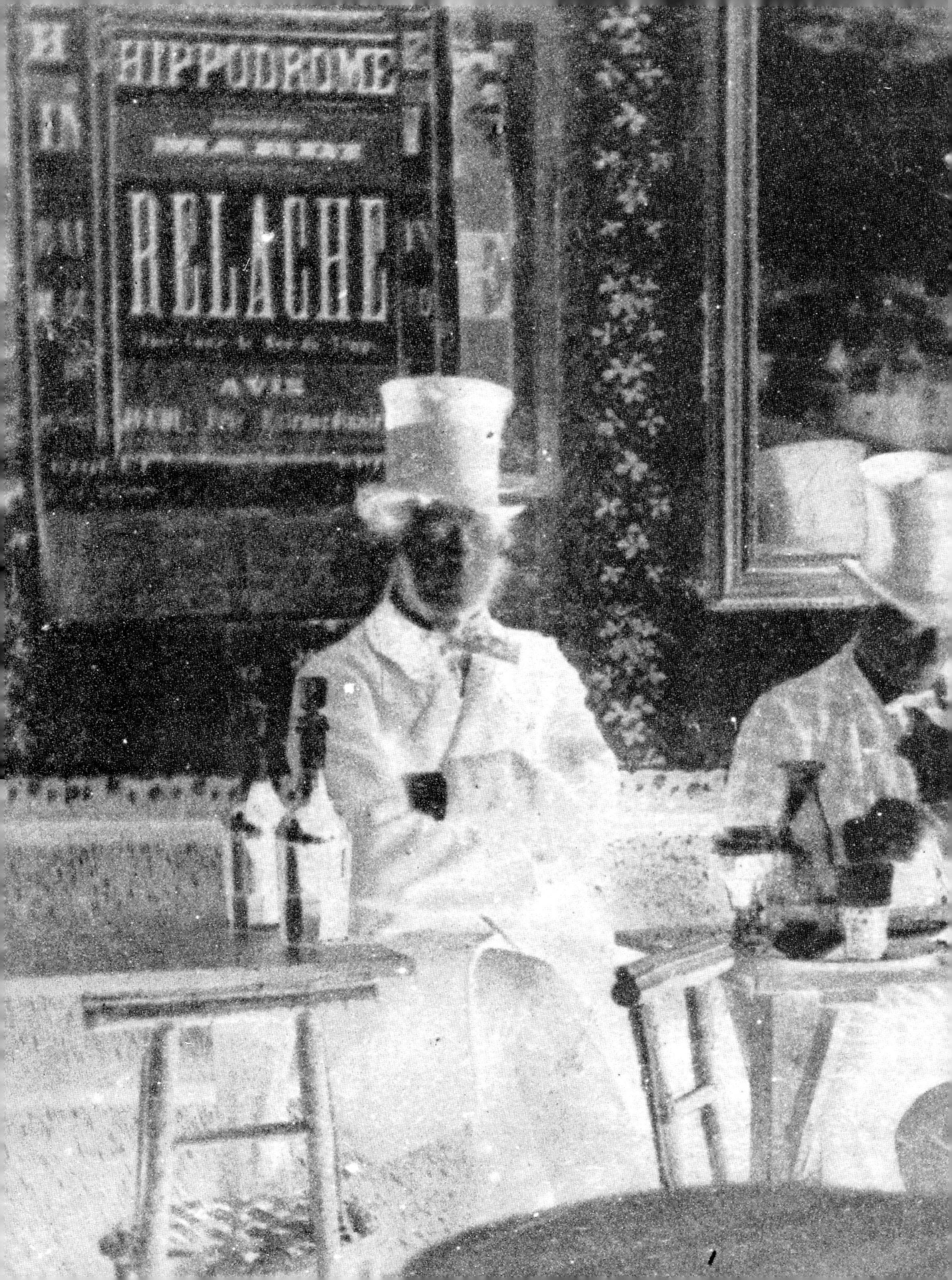
HIPPODROME
RELACHE
AVIS

La lumière et le trait

Cubisme et néo-classicisme, paradoxes
du dessin « d'après photographie »

« Evidemment, le dessin au trait seul échappe à l'imitation… »[280]. Ce propos de Picasso datant de 1933 désigne d'emblée le paradoxe propre aux nombreux dessins qu'il réalisa d'après des modèles photographiques. La cohérence de cet ensemble d'œuvres, qui débute avec les premières années du siècle, croise les recherches cubistes puis renoue avec la figuration vers 1914, permet de saisir ce qui, par l'intermédiaire de la photographie, transcende ici la question du mimétisme. L'artiste précise : « Oui, le dessin au trait a sa propre lumière, créée, non imitée »[281]. Cette notation toute matissienne se réfère aux variations graphiques sur le thème des *Métamorphoses* d'Ovide développées au cours de cette année 1933. On pourrait également l'appliquer aux expériences rapportées par Brassaï où Picasso s'essaya à dessiner dans l'obscurité ou les yeux fermés[282]. Jamais le trait n'aura été aussi hasardeux, coupé de l'œil, livré au seul automatisme de la main : un dessin non visuel, procédant uniquement de la mémoire et du geste, de leurs rythmes, de leur souffle. Et c'est probablement depuis ce point d'aboutissement, place littéralement *aveugle* où l'artiste reste seul avec ses « visions premières », que pourrait être approché le parcours du dessin picassien d'après photographie.

Sur le vif, ce fut cependant le signe du « Kodak » qui, de manière polémique, fut retenu pour caractériser la manière « néoclassique » de Picasso. Accusant, dans la revue *391*[283], l'artiste de « retourner à l'Ecole des beaux-arts (atelier Luc-Olivier Merson) », Picabia visait directement le *Portrait de Max Jacob*[284] (fig. 110), réalisé à la mine de plomb en 1915 et publié, fin 1916, dans *L'Elan*[285]. En forme de parodie, un collage associant un dessin au trait et un cliché du visage de Max Goth (fig. 111) illustre cette attaque contre « Picasso repenti ». Le travail « d'après modèle » du *Portrait de Max Jacob* était par là-même ramené au mimétisme de la photographie[286]. Car, comme l'exprima alors Pierre Reverdy au nom des fidèles du cubisme, le seul fait d'exécuter « un portrait » contrevenait à ce qui s'était voulu « un art éminemment plastique, un art de création et non de reproduction ou d'interprétation »[287]. Le clivage baudelairien entre les attentes réalistes désormais assumées par le médium photographique et une création picturale puisant en elle-même l'essentiel de ses références, trouve ainsi regain d'actualité

---

280. Cf. Kahnweiler 4, p. 22.

281. *Id.*

282. Cf. Brassaï, p. 268.

283. Cf. Picabia, p. 4.

284. 1915, Z VI 1284. Les éléments ici commentés ont été réunis par Hélène Seckel, cf. Seckel 3, p. 116-139.

285. *L'Elan*, n° 10, 1er décembre 1916.

286. Max Jacob pour sa part avait, à propos du portrait d'Ambroise Vollard exécuté dans un style voisin du sien (août 1915, Z II** 922), traité par l'humour la nouvelle manière de son ami Picasso : « Quelques cubistes et non des moindres ont reçu de fortes commandes pour les boîtes à bonbon du jour de l'an. Jolis portraits au crayon genre Pisanello : s'adresser à la Nonciature. Ressemblance garantie. Psychologie géniale ! ». Cf. Jacob.

287. Cf. Reverdy, p. 5-7.

Fig. 109
Portrait de Max Jacob
Paris, printemps 1907
Aquarelle sur papier
62 x 47,5 cm
Cologne, Museum Ludwig,
collection Ludwig

Fig. 108
Anonyme
Max Jacob
[1905-1907]
Epreuve gélatino-argentique
Paris, bibliothèque littéraire
Jacques Doucet

Fig. 110
Portrait de Max Jacob
Paris, 1915
Crayon graphite sur papier
33 x 24,8 cm
Collection particulière

Fig. 111
Francis Picabia
Portrait de Max Goth
d'après la reproduction
dans *391*, n° 1,
janvier 1917

dans ces années troubles de « retour à l'ordre »[288]. On pourrait cependant se surprendre de voir un tenant de l'avant-garde comme Picabia, par ailleurs proche de l'école américaine de Stieglitz et de la *Straight Photography*, reprendre implicitement à son compte l'équivalence tautologique que le sens commun établit entre photographie et réel d'une part, entre dessin naturaliste et vérisme photographique de l'autre. Dans un effet retour inopiné, le collage parodique de 1917, pour dénoncer ce qui serait un nouvel académisme de Picasso, matérialise en fait l'absolue hétérogénéité de deux médiums, visage photographié et traitement linéaire du corps. Il constituerait même l'un des premiers exemples de *photomontage* et préfigure ce que sera l'aventurisme Dada en matière de mésalliance des images[289]. Cette ambiguïté involontaire pourrait permettre de mieux comprendre la complexité des rapports dessin/ photo dans l'œuvre de Picasso.

Devant le *Portrait de Max Jacob*, une critique notait : « On dit de ce nouveau style qu'il est quasiment photographique, en tous cas simple et sévère… »[290]. Le jugement ne vaut guère que par approximation. Le trait picassien délie en réalité la fausse évidence d'une égalité réel/cliché/œuvre, creuse *l'écart* entre chacun de ces termes. Ainsi que le collage de Picabia avait voulu le souligner, le dessin de 1915 offre un contraste entre le traitement du buste, dont le volume est évoqué par une grisaille du crayon, et le contour auquel se réduisent l'arrière-plan[291] et le reste du corps. Une homologie frappante existe entre le portrait dessiné et un cliché en buste de Max Jacob datant des années 1905-1907[292] (fig. 108). Dissymétrie de la tête, expression y sont identiques, comme si Picasso avait complété les séances de pose[293] par un examen attentif de cette image, lui empruntant notamment le modelé propre à la partie supérieure du corps. Si la représentation des membres évoque également les raccourcis visuels nés de la prise de vue en studio, le dessin au trait fait abstraction des ombres qui les rendraient intelligibles du point de vue perspectif. La coexistence de deux modes graphiques souligne cependant ce qui sépare irréductiblement l'image photographique, où les sels d'argent manifestent un continuum de valeurs du blanc au noir, et le dessin qui, même là où il veut suggérer une gradation de gris, reste par nature un *trait* qui cerne son objet. A un médium de la continuité analogique s'oppose un art de la ligne, de l'hétérogène, de la découpe. En ce sens, si l'un peut parfois mimer l'autre, il subsiste un saut qualitatif entre la lumière physiquement mémorisée de la photographie et la lumière toute « créée » du dessin. Aucune de ces deux lumières n'*imite* à proprement parler, au sens d'un fac-similé ou d'un trompe-l'œil. La première inscrit en chaque particule élémentaire des sels d'argent, l'aller-retour des longueurs d'onde et il aura fallu l'apprentissage de l'œil moderne pour qu'au premier regard, il reconnaisse dans ce codage bichrome la sublime présence du réel. Quant au réseau linéaire du dessin, il serait surface de

288. Cf. Silver, notamment p. 270-273.

289. C'est à l'été 1918 que Raoul Hausmann aurait compris « qu'il [était] possible de créer des images à partir de fragments de photographies » (cf. Ades, p. 10). Les procédés voisins du photo-collage et du photomontage furent alors pratiqués par lui comme par Hannah Höch, George Grosz ou Helmut Herzfeld (qui, par la suite, anglicisa son nom en John Heartfield). Aaron Scharf a cependant recensé divers exemples d'illustrations populaires associant, dès les années 1870-1890, fragments de photographies et dessin ou gravure ; il souligne par ailleurs ce que le photo-collage doit à certains truquages employés par les cinéastes Georges Méliès ou Ferdinand Zecca et, de manière plus directe, aux collages et « papiers collés » cubistes, cf. Scharf, p. 275-289.

290. Cf. Morning, p. 343-344.

291. On reconnaît l'atelier de Picasso et le guéridon frangé qui servit dans nombre de ses prises de vue photographiques. Cf. à ce sujet, chapitre IV *infra*.

292. A l'inverse des autres documents évoqués dans ce catalogue, ce cliché ne figure pas dans les archives de l'artiste mais est conservé par la bibliothèque littéraire Jacques Doucet et l'on doit à Hélène Seckel de l'avoir mis au jour.

293. « Je pose chez Pablo Picasso et devant lui : il fait de moi un portrait au crayon qui est bien beau, il ressemble à la fois à celui de mon grand-père, d'un vieux paysan catalan et de ma mère », Lettre de Max Jacob à Guillaume Apollinaire, 7 janvier 1915, citée *in* Seckel 3, p. 116.

signification plutôt que surface sensible. Le réel y trouve sa représentation comme par défaut, le contour ne signalant la forme que là où elle prend fin.

Le lien unissant le dessin de 1915 au cliché des années 1905-1907 s'initierait, de plus, dans un portrait proto-cubiste de Max Jacob datant de 1907 [294] (fig. 109). Les trois œuvres forment une sorte de triangle identitaire ou divers appariements s'opèrent entre la gouache, la photo et le dessin. Les deux versions graphiques partagent la pose du modèle, l'intensité du regard qui, sur le cliché, se détourne quelque peu. Le vêtement – col de chemise, pull, gilet fermé, veston – donne une variante familière du col cassé et de la lavallière du portrait de studio. La gouache géométrise son trait, accentue la structure du visage. A l'inverse, le dessin de 1915 en proposera une lecture minutieuse, cherchant, dans les ombres du cliché, le détail de la paupière ou de la commissure des lèvres. L'exemple serait ainsi donné d'une même référence photographique, d'un même corps idiosyncratique se manifestant sous deux formes stylistiques, dans une commune tentative pour approcher le « concept » pouvant définir ce modèle. Ainsi se mesure la complexité de cette manière « quasiment photographique » de l'année 1915 où Picasso disait vouloir « dessiner comme tout le monde »[295].

1905-1915, « MIMER », DÉCRYPTER, INTERPRÉTER LE RÉEL

« Le violoniste doit produire d'abord le son, il doit le chercher, le trouver avec la rapidité de l'éclair ; le pianiste frappe le clavier : le son éclate. L'instrument est à la disposition du peintre comme du photographe. Le dessin et le coloris du peintre correspond à la sonorité du jeu du violon ; comme le pianiste, le photographe doit tenir compte d'une machinerie soumise à des règles limitatives et qui, de loin, n'impose pas la même contrainte au violoniste. Aucun Paderewski ne récoltera jamais la gloire qu'a récoltée un Paganini, n'exercera jamais le pouvoir magique qu'a exercé un Paganini »[296]. Ce parallèle rapporté par Walter Benjamin éclaire le mouvement d'identification dont procéderait le dessin *Portrait de Paganini*[297] (fig. 114) où Picasso, dès 1904-1905, s'était essayé à donner d'une photographie une *interprétation* au trait et en grisé selon une technique annonçant celle utilisée dans les années du retour à la figuration. Deux documents ont été conjointement utilisés pour son élaboration. L'un est une reproduction d'une gravure assez conventionnelle représentant le musicien en buste[298], l'autre un cliché commercial, datant de 1900[299], le figurant en pied, l'archet levé[300] (fig. 112). Ce dernier cliché reste fort énigmatique. Il pourrait être repris d'un daguerréotype, puisque le virtuose, mort en 1840, a connu les débuts de cette invention. La littérature paganinienne ne fait cependant nulle mention d'un tel original photographique[301], alors que la célébrité du modèle et son étrangeté physique suscitèrent un grand nombre de portraits dessinés, gravés ou sculptés, et de caricatures. Le tirage des archives Picasso semble d'ailleurs réunir plusieurs des traits proposés par ceux-ci[302]. Il pourrait en réalité figurer un acteur

---

294. *Portrait de Max Jacob*, gouache sur papier, Z II* 9.

295. Rapporté par Henri Mahaut, cf. Mahaut, p. 12.

296. Camille Recht, l'un des premiers commentateurs de l'œuvre d'Eugène Atget, cité par Walter Benjamin, cf. Benjamin, p. 159.

297. Z XXII 128.

298. Ce cliché au format carte de visite porte la mention « Collection E. Desmaisons ».

299. Un timbre sec comporte également la mention « Copyright 1900, Ey. G. Fiorini, München ».

300. Au premier document, le dessin emprunte la clarté fixe du regard et la ligne arrondie du menton ; du second, il reprend la dynamique gestuelle et la disproportion de la main saillant du flanc d'une manière inexplicable.

301. Edward Neil affirme, au contraire, qu'aucune photographie ne fut jamais prise du musicien, cf. Neil, p. 332.

302. Le cliché évoque, à la fois, le déhanchement de la lithographie de Mantoux ou de la terre cuite de Dantan, le geste serrant le violon dans la toile de Delacroix (1831), le bras dressé d'une gravure de Louis Boulanger. La posture générale est par ailleurs extrêmement voisine d'une gravure de P. Maurou intitulée *Le Spectre de Paganini* : mouvement de l'archet et poignet surgissant d'une manche défaite, habit noir au plastron couvert de médailles, main gauche crispée sur l'instrument.

Fig. 112
[Ey. G. Fiorini]
[Fregoli] dans le rôle de Paganini
Munich, 1900
Phototypogravure
14,5 x 7,4 cm
Paris, archives Picasso

Fig. 113
L'Acteur
Paris, 1904-1905
Huile sur toile
194 x 112 cm
New York, The Metropolitan
Museum of Art, don Thelma
Chrysler Foy, 1952

Fig. 114
Portrait de Paganini (Le Violoniste). 1905. Crayon (mine de plomb).
32,5 x 21,5 cm. Collection particulière

Fig. 115
Famille de saltimbanques
(Les Bateleurs)
Paris, 1905
Huile sur toile
212,8 x 229,6 cm
Washington, The National Gallery
of Art, collection Chester Dale

Fig. 116
V. Melchior
Les Sœurs Ethair (acrobates)
Epreuve sur papier albuminé
15,3 x 10 cm
Paris, archives Picasso

Fig. 117
Projet pour le costume de l'acrobate
féminin (« Parade »)
Paris-Rome, 1916-1917
Aquarelle et mine de plomb
sur papier
27,5 x 20,7 cm
Paris, musée Picasso

« imitant » le violoniste et s'étant inspiré pour ce rôle de composition des documents jugés les plus caractéristiques. Il s'agirait selon quelque probabilité du célèbre « transformiste » Leopoldo Fregoli dont l'art était d'évoquer les personnages les plus divers et dont le spectacle présenté à Paris, au début de l'année 1900, eut un vif retentissement [303]. Moins qu'un portrait de Paganini, le dessin ici étudié serait, en ce cas, un portrait de Fregoli en Paganini. Figure de l'acteur prodige tout autant qu'évocation du musicien virtuose, il condenserait, dans un même corps phénomène, la commune démesure de leur génie [304]. La manière dont l'imitateur *incarne* le violoniste serait ainsi l'objet même du dessin. Le rôle est ici joué non sur scène, mais devant l'objectif. Une seule image doit alors fixer la signalétique du modèle célèbre, la faire accéder au langage. Le geste s'épure, se suspend à un point ultime, et l'on comprend que ce soit cette interprétation paroxystique qu'ait retenue Picasso. Le dessin recadre son sujet, les deux mains hors d'échelle touchant désormais aux bords du feuillet. Le trait se démultiplie par endroits, suscitant cette vibration que systématisera le graphisme de années 1917-1920. Un fort hachurage tente d'ancrer au corps le geste improbable qui travaille les cordes, ce poignet que l'on put dire aussi singulier qu'« un mouchoir placé au bout d'un bâton et que le vent fait flotter » [305]. Comme l'a suggéré Theodore Reff, un tableau comme *Famille de saltimbanques* [306] (fig. 115) pourrait s'être inspiré de clichés commerciaux de gens du cirque, alors assez répandus [307]. Il serait semblablement possible que Picasso se soit intéressé au portrait de Paganini-Fregoli dans sa recherche pour l'aquarelle *Le Violoniste (Famille au singe)* [308]. De même *L'Acteur* [309] (fig. 113) emprunterait au cliché son atmosphère et plusieurs de ses traits plastiques : tension corporelle, dramatisation du visage, accentuation des mains [310].

« Transformisme », le mot s'appliquerait aussi bien au dialogue complexe entre photographie et dessin tel qu'il se poursuivra à travers les années du cubisme. Une analyse des objets y prélude en effet à leur reconstruction plastique. Si Picasso a, depuis longtemps, renoncé à peindre ou dessiner d'après modèle vivant, les exigences méthodologiques de sa recherche le pousseront de nouveau à se tourner

---

303. Inauguré au Trianon, boulevard Rochechouart, avant qu'un incendie ne le déplace à l'Olympia, ce programme comportait, au cours de sa deuxième partie intitulée « Eldorado » ou « Paris Concert », une « imitation de quelques hommes célèbres » et de « célèbres compositeurs de musique dirigeant leur orchestre ». Ce spectacle correspond à l'époque du premier séjour de Picasso à Montmartre et il n'est pas impossible que l'épreuve restée dans ses archives ait été acquise à cette occasion. Fregoli fit cependant une deuxième tournée à Paris en 1903-1904, date probable du dessin étudié ici.
Il serait également possible que le cliché représente un des nombreux plagiaires que le succès de Fregoli suscita dès les années 1890. Fustigeant ces déloyales imitations, un proche de Fregoli usait d'une ironique métaphore évoquant le rapport photo/peinture : « Autrefois, on avait des portraits à l'huile. Aujourd'hui arrivent les portraits photographiques et les pauvres peintres meurent de faim. Alors vive la photographie ! », cf. Mescatari, p. 158.
304. Outre son génie scénique, Fregoli témoigna d'une surprenante ouverture à la modernité technique. Utilisant amplement la photographie, il collabora avec les frères Lumière dès 1897 et adjoignit à ses spectacles une variante de leur invention, le « Frégoligraphe ». Mario Verdone a, par ailleurs, souligné que son matériel publicitaire associant copies de journaux, typographie, fragments de photos, affiches déchirées, anticipait le collage, le photomontage et même le « décollagisme », cf. Verdone, p. 182-185. La *velocità* de l'acteur fut saluée par Filippo Tommaso Marinetti comme exemple d'un théâtre qui « illustre lumineusement les lois dominantes de la vie », « Il Teatro di varietà, Manifesto futurista », *Lacerba*, 1913, n° 19, p. 209-211.
305. Castil-Blaze, 1831, cité par J. G. Prod'homme, cf. Prod'homme, p. 25.
306. 1905, Z I 285, D-B XII 35.
307. Cf. Reff 1, p. 237-248. A ce jour, aucune source précise n'a pu être identifiée en ce sens. Les archives de l'artiste comprennent, en revanche, une photographie de quatre jeunes filles acrobates (fig. 116) dont l'une pourrait bien avoir inspiré, en 1917, le projet de costume pour l'acrobate féminin du ballet *Parade* (fig. 117, Z XXXIX 248, MP 1570 et 1571).
308. 1905, D XIII 7, Z XXII 161.
309. 1904-1905, Z I 291, XII 1.
310. La pose contournée du personnage féminin de *Famille de saltimbanques* et sa main hors d'échelle pourraient également être rapprochées de ce cliché.

vers la photographie. Vecteur d'un dialogue silencieux et indirect avec le réel, ce médium met aussi en jeu ses virtualités propres. Bidimensionnalité, achromie, objectivité visuelle, matérialité de l'épreuve papier définissent un cadre de référence homothétique de celui où l'œuvre s'élabore. La banalité, parfois triviale, de l'image photographique et son réalisme sommaire peuvent également rejoindre la démarche iconoclaste, le souci de dé-sublimation du langage artistique que poursuit alors Picasso. Reste que, pour lui, « Il faut toujours commencer par quelque chose. On peut ensuite enlever toute apparence de réalité ; il n'y a plus de danger, car l'idée de l'objet a laissé une trace ineffaçable »[311]. Le travail « d'après photo » approche ainsi le réel là où déjà il fait image, là où il se formule comme motif visuel. Aussi put-il y avoir, paradoxalement, rencontre entre l'illusionnisme photographique et le codage propre au cubisme[312]. Sans prétendre à l'exhaustivité[313], quelques cas d'espèce peuvent illustrer la manière dont les emprunts formels à la photographie participent à l'élaboration d'un tel langage. Un intérêt particulier s'attache, de ce point de vue, au domaine des œuvres graphiques[314], cette « écriture formatrice de signes nous laissant soupçonner comment le monde se reflète en l'artiste et comment à son tour celui-ci exerce sur les aspects de l'extérieur un pouvoir propre à en donner d'innombrables interprétations »[315]. Approché dans ses rapports à la source photographique, le dessin cubiste met en cela le mieux au jour le lien de cohérence productive noué, par delà les ruptures stylistiques, avec les œuvres de la période dite « classique ».

La toile *Mademoiselle Léonie*[316] est traditionnellement donnée pour figurer une artiste du cirque Médrano. Elle se rapporterait plutôt à une autre vedette de la scène, la Barcelonaise Bella Chelito[317] (fig. 118 à 121), dont deux cartes postales présentent une parenté immédiate avec la peinture et son dessin préparatoire. Si la masse de la chevelure y est bien reconnaissable, ce dernier réduit le modèle à une géométrie abstraite d'angles et de courbes. Il livre cependant le principe de cette déconstruction qui emprunte aux éléments des deux clichés : un basculement brutal sur le côté de l'ombre orthogonale formée entre l'aile du nez et le sourcil gauche. La toile est bâtie à l'identique mais le traitement de la surface picturale rétablit des qualités plus illusionnistes où les traits du modèle et le jeu des lumières sont plus directement lisibles[318].

D'autres exemples se rapportent au séjour de Picasso à Céret à l'été 1911. L'artiste y fit, en effet, l'acquisition de nombreuses cartes postales représentant des paysages ou des modèles en costume régional.

311. Cf. Zervos 2, p. 174.
312. Les passages, les croisements de l'un à l'autre ont déjà été mis en évidence pour les grands portraits de la période dite « analytique ». Aux observations développées dans Baldassari 1 à propos des portraits cubistes de Georges Braque ou de Daniel-Henry Kahnweiler, p. 112-125, s'ajoutent désormais les remarques de Pierre Daix notamment au sujet des portraits d'Ambroise Vollard, de Wilhelm Uhde ou d'Eva Gouel, cf. Daix 6, p. 255-295.
313. Les archives Picasso comprennent près de 2000 documents photographiques de toute nature antérieurs à 1910.
314. Pepe Karmel et Pierre Daix ont, à juste titre, souligné quels liens une série de dessins représentant Frank Burty Haviland entretient avec le portrait photographique pris de lui par Picasso dans son atelier du boulevard de Clichy, cf. Karmel, p. 156-158 et Daix 6, p. 280 et 286-287.
315. Cf. Zervos 3, p. 7.
316. Z II* 226, D-R 340. Titre proposé par Max Jacob en référence à l'héroïne de son *Saint Matorel*.
317. Ce personnage de la jeunesse de l'artiste fut l'objet pour lui d'une persistante obsession visuelle. Jaime Sabartès rapporte comment sa rencontre, en 1902, suscita, d'une manière toute fantasmatique, « une série interminable d'images dont le trait précis retrouve des gestes fugitifs ». Ces dessins ont sans doute été détruits. Sabartès évoque également la redécouverte, en 1941, parmi les papiers de Picasso, de photos de cette artiste. Cf. Sabartès 1, p. 98-100. Les archives Picasso conservent nombre de cartes postales de Bella Chelito. Les clichés évoqués ici sont les seuls à la figurer en buste.
318. On observera notamment la courbe de la joue, la lumière sur la mèche du front, la prunelle, l'oblique du cou, l'angle reprenant la ligne du collier, l'arrondi du décolleté, les valeurs claires sur le coude gauche, la vibration picturale sur le sein faisant écho à la texture de la robe lamée…

Fig. 118
Anonyme
Bella Chelito (de face)
Barcelone [1900-1903]
Epreuve gélatino-argentique
(carte postale)
Paris, archives Picasso

Fig. 119
Portrait de Mademoiselle Léonie
Paris, 1910
Huile sur toile
65 x 50 cm
Collection particulière

Fig. 120
Anonyme
Bella Chelito (de trois quarts)
Barcelone [1900-1903]
Epreuve gélatino-argentique
(carte postale)
Paris, archives Picasso

Fig. 121
Etude pour le « Portrait de Mademoiselle Léonie ». Paris, 1910. Crayon et encre sur papier.
63,4 x 49,5 cm. Genève, collection Marina Picasso. Galerie Jan Krugier

Fig. 122
Edition M.T.I.L.
Groupe de Catalanes
[1905-1910]
Phototypie (carte postale)
Paris, archives Picasso

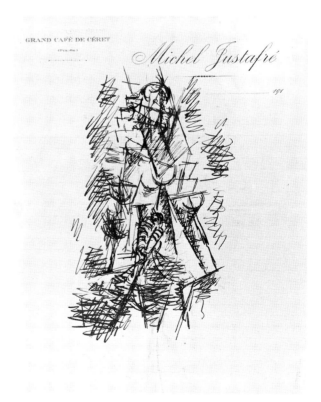

Fig. 123
Buste de Cérétane
Céret, été 1911
Plume et encre brune
sur papier ligné
26,8 x 21,4 cm
Paris, musée Picasso

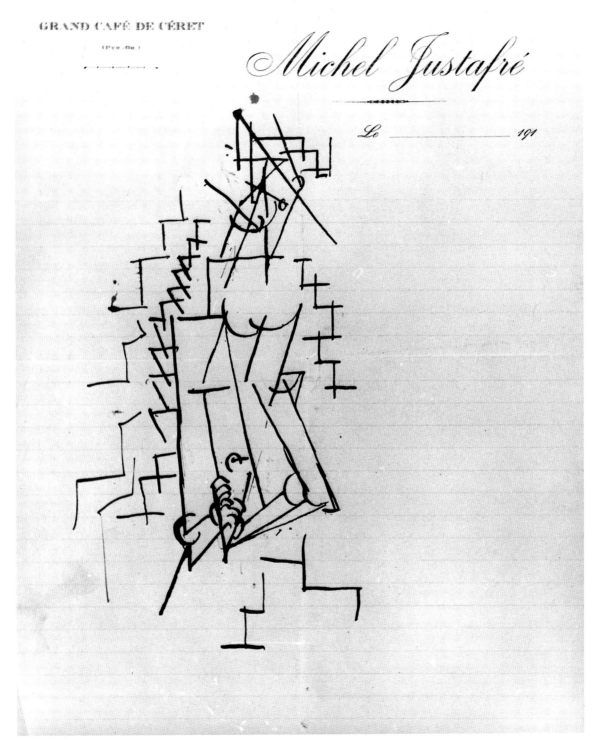

Fig. 124
Buste de Cérétane. Céret, été 1911. Plume et encre brune sur papier ligné.
26,8 x 21,4 cm. Paris, musée Picasso

Fig. 125
Homme moustachu à la clarinette
Céret-Paris, été-automne 1911
Plume, encre de Chine
et crayon noir sur papier
30,8 x 19,5 cm
Paris, musée Picasso

Fig. 126 et 127
Edition L. Roque, Céret
Harmonie du Vallespir
et *Los Cantayres catalans*
(Chanteurs catalans)
Céret, (1905-1910)
Phototypies (cartes postales)
Paris, archives Picasso

Fig. 128
Edition Labouche frères,
Toulouse
La Preste, un berger montagnard
Phototypie (carte postale)
Paris, archives Picasso

Fig. 129
Tête d'homme. 1910-1911. Fusain et crayon noir sur papier.
64,2 x 48,6 cm. Paris, musée Picasso

Fig. 130
Portrait de Georges Braque
Paris, atelier du 11, boulevard
de Clichy, 1911
Epreuve moderne d'après
le négatif original
Paris, archives Picasso

Fig. 131
Georges Braque
Portrait de Pablo Picasso
Paris, atelier du 11, boulevard
de Clichy, 1911
Epreuve moderne d'après
le négatif original
Collection particulière

Fig. 132
Le Peintre. 1912-1913. Plume, encre brune et crayon noir sur feuille double
(pièce rapportée dans la partie supérieure). 38 x 20,2 cm. Paris, musée Picasso

Fig. 133
Georges Braque
Portrait de Picasso
[1909-1912]
Epreuve moderne
d'après le négatif original
Paris, archives Picasso

Fig. 134
Portrait de Georges Braque
[1909-1912]
Epreuve moderne
d'après le négatif original
Paris, archives Picasso

Fig. 135
Homme au képi (Tête d'homme
au chapeau sur fond rouge)
Paris, [1913-1916]
Huile sur toile
63 x 51 cm
Collection particulière

Fig. 136
Georges Braque
Portrait de Pablo Picasso (détail)
Paris, atelier du 11,
boulevard de Clichy, 1911
Epreuve moderne
d'après le négatif original
Collection particulière

Souvent achetées en plusieurs exemplaires, elles furent parfois employées pour la correspondance, comme en témoignent des envois à Apollinaire[319] ou à Kahnweiler[320]. Nombre d'autres restèrent entre ses mains. Réalisée sur le papier à en-tête du Grand Café, une série de *Buste de Cérétane*[321] (fig. 123 et 124) pourrait ainsi avoir pour point de départ une carte intitulée « Groupe de Catalanes » (fig. 122). Le hiératisme des figurantes, en particulier dans la scène à l'arrière-plan où une femme tenant un *poron* verse de l'eau à sa voisine, évoque les postures de la « période rose ». Ce serait cependant le modèle assis à droite qui aurait servi de prétexte. L'angle du buste, le carré du tablier, la forme de la manche sur le mur blanc, l'appareillage de briques en quinconce et jusqu'à la juxtaposition visuelle de l'oreille et du fixe-volet se trouvent transcrits, de manière plus ou moins directe, dans chacun des dessins, autour du geste de la tricoteuse qui leur est commun. On pourrait également rechercher l'*Homme moustachu à la clarinette*[322] (fig. 125) parmi les membres de l'« Harmonie du Vallespir » (fig. 127) qui compte sept clarinettistes ou joueurs de *tenora* dont six moustachus. *Tête d'homme*[323] (fig. 129), au fusain et crayon noir, est d'une technique plus rare pour cette période où dominent les dessins à la plume ou au trait rehaussés de hachures. L'œuvre peut être lue comme un véritable portrait réalisé à partir du cliché « La Preste. Un berger montagnard » (fig. 128). Col rond, pipe, ombre portée sur le menton, moustache, architecture du nez prolongeant la protubérance du calot catalan, la typique *barretina* de feutre rouge, y constituent autant de signes de reconnaissance. Le camaïeu gris et noir du velours, de la laine, du feutre, pourrait avoir inspiré le choix d'un rendu aux fortes évocations tactiles. Le rapport du corps aux accessoires caractéristiques du modèle trouve également un équivalent formel dans la construction centrifuge du dessin. Enfin, la carte « Los Cantayres Catalans (Chanteurs Catalans) » (fig. 126) démultiplie l'image de la coiffe virile dont les circonvolutions « organiques » semblent exalter l'identité de chacun des sujets. Picasso dut être attentif à ces variations formelles et son amusement se laisse lire dans le sort que le dessin réserve à un tel attribut[324].

Enfin, on doit évoquer un dessin et une peinture qui procèdent des portraits jumeaux de Picasso et de Braque se photographiant l'un l'autre dans l'atelier du 11 boulevard de Clichy à l'occasion d'une permission militaire de Braque au printemps 1911[325] (fig. 130 et 131). Les modèles dirigent tous deux leur regard hors champ, peut-être pour ne pas pouffer de rire comme dans ces autres portraits en miroir datant des années 1909-1912 (fig. 133 et 134). Le cliché de Braque découvre tout un angle de l'atelier. Picasso, au contraire, est saisi en plan rapproché, accoutré de l'uniforme, manifestement trop grand pour lui, de son ami. Le dessin à la plume et au crayon *Le Peintre*[326] (fig. 132) associe, en accord avec ce titre générique, des éléments provenant des deux photographies. Le chevalet visible à la droite de Picasso se retrouve de l'autre côté. La posture presque identique des deux hommes se confond en un même trois quarts tandis que la géométrie de la tête s'identifie à celle de Braque : arrondi du crâne, oblique du nez,

319. Notamment les cartes « Le Roussillon. Jeune Catalane allant à la fontaine », « Céret. Catalane allant à la fontaine » et « Céret (Pyr.-Or.). Les Tours et portes de l'ancienne enceinte », envois des 3, 9 et 31 août 1911, cf. Caizergues et Seckel, numéros 55, 56 et 59.

320. Notamment une carte envoyée le 22 août 1911 et représentant le Grand Café de Céret (cf. Richet, p. 115).

321. MP 653 (Z XXVIII 33), 654 (Z XVIII 34) et 655 (Z XVIII 36).

322. Z XXVIII 48, MP 659.

323. MP 643, pas dans Z. Une variante de facture moins complexe est donnée par le dessin Z XXVIII 81. Ces deux œuvres ont parfois été considérées comme se référant à Apollinaire.

324. A deux reprises, le 27 juillet 1911 et le 13 août 1913, Picasso adressa à Gertrude Stein une carte postale « Groupe de joyeux Catalans » figurant trois hommes portant la *barretina* avec, lors du deuxième envoi, cette légende manuscrite sous l'un des personnages : « (Portrait de Matisse) ».

325. Le cliché du portrait de Braque, dont Picasso a conservé le négatif verre, s'inscrit dans l'importante série de photos prises de ses proches entre 1910 et 1912, dans cet atelier du boulevard de Clichy. Cf. Baldassari 1, p. 112-133.

326. 1912-1913, MP 688.

verticale de la joue prolongeant le col droit[327]. Portrait de Braque plutôt que de Picasso, le dessin est exécuté sur deux feuillets sommairement superposés dont le jointoiement reprend, de manière métonymique, la ligne que tracent, sur le cliché, le bord des cadres et la lisière de la tapisserie à ramages. Ce coulissage d'un plan sur l'autre peut aussi être lu comme le signifiant de ce portrait aux deux modèles dont l'un, comme pour opérer une extension physique de son « format » corporel, endosse le vêtement de l'autre. Parfois appelée *Homme au képi* et diversement datée des années 1913 à 1916, une surprenante peinture[328] (fig. 135) paraît bien se rattacher à la même source photographique. Il n'est pas exclu qu'elle ait été réalisée en deux temps, l'un parallèle à l'exécution du dessin *Le Peintre*, l'autre postérieur qui aurait été marqué par le détourage de la figure en rouge. Comme le dessin, la peinture est construite par tracés décalés et selon une géométrie d'angles divergents évoquant celle que forment les cadres et les éclisses des châssis. De son portrait photographique par Braque (fig. 136), Picasso aurait ainsi tiré ce singulier autoportrait en militaire. Outre la forme du couvre-chef, en procéderaient le trois quarts où le visage se réduit aux creux des orbites, de la bouche et du nez, et surtout le carré obscur, confondant l'ombre de la joue et celle du fond d'où se détache l'oreille. Le tableau en traduit le principe en un rectangle bleu qui répond au rouge du fond, symbolique tricolore à laquelle Picasso sacrifiera également dans quelques œuvres datant de la guerre[329]. Avec cette peinture à la géométrie hermétique, l'artiste s'est-il donc identifié à son camarade parti au front et qui en revint blessé en 1915 ? Ce serait pour Picasso prendre place subrepticement parmi les portraits en uniforme que lui inspire cette période, s'autorisant l'emprunt d'un képi, de même qu'il voulut bien, pour le portrait qu'il fit de Cocteau en 1916, gratifier ce modèle d'une vareuse militaire de fantaisie[330].

L'année 1914 marque un retour progressif à la figuration naturaliste. En témoigne de manière toute emblématique *Le Peintre et son modèle*[331] (fig. 151), œuvre mi-dessin mi-peinture où, selon Hubert Damisch, la ligne reste « travaillée par le fantasme de la géométrie, d'une déhiscence générale des plans »[332]. Les étapes et les modalités de cette transition mériteraient une analyse des plus détaillées tant y sont subtils les recouvrements ou les contradictions stylistiques. Quelques exemples, choisis ici au regard du rôle qu'y joue le recours à la photographie, voudraient y contribuer.

On partira de deux crayons, *Femme dans un fauteuil*[333] et *La Vieille femme*[334] (fig. 137 et 139), réalisés cette année-là en Avignon et qui s'avèrent retraiter, tous deux, les données d'un portrait carte de visite figurant une paysanne (fig. 138). Ils lui empruntent la structure de la pose, de la coiffe, de la tête, des mains jointes[335]. Du visage, ils accusent les traits jusqu'à l'animalité. Enturbannée, lèvres serrées, pommettes saillantes, la grand-mère a déjà été mangée par le loup. Paré de ses vêtements, museau baissé, le fauve

---

327. Le bouton de cuivre fermant l'uniforme pourrait trouver pour écho le cercle cerné de noir en haut à droite du dessin.

328. Z XXIX 151, D-R 872, intitulé *Buste d'homme au chapeau, Visage sur fond rouge* ou *Tête d'homme au chapeau sur fond rouge*. Pierre Daix le rapproche des recherches de 1915-1916, en référence aux essais de zonage en pointillés caractéristiques de cette période.

329. Cf. notamment la toile de 1914-1915 *Cartes à jouer, verre, bouteille de rhum, « Vive la France »* (Z II** 523, D-R 782) et les dessins *Guillaume de Kostrowitzky, artilleur,* (lettre du 22 décembre 1914) et *« Vive la France »* (lettre à André Salmon du 6 mai 1915, MP 1980-108). Sur ces œuvres et leur interprétation politique, cf. Silver, p. 30-32.

330. Outre les portraits de Guillaume Apollinaire réalisés en 1916 et qui sont analysés plus loin, *Portrait de Jean Cocteau en uniforme* (1916, Z XXIX 199), *Portrait de Léonce Rosenberg en uniforme* (1916, Z XXIX 201), *Portrait de Riccioto Canudo en uniforme* (1918, Z VI 1351). Cf., à ce sujet, Silver, p. 93-98, fig. 77, 79 et 80.

331. MP 53, l'œuvre n'a été connue qu'après la mort de l'artiste.

332. Cf. Damisch, p. 181.

333. Z VI 1202, Succ. 1692.

334. Z XXIX 76.

335. Que Picasso introduise un fauteuil ou un costume quelque peu différent donne à penser qu'il fit simultanément usage d'un autre document combiné avec celui présenté ici.

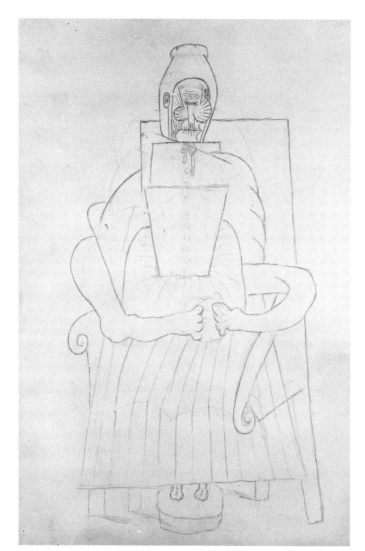

Fig. 138
Anonyme
Portrait d'une vieille femme
Epreuve sur papier albuminé
(carte de visite)
Paris, archives Picasso

Fig. 137
Femme dans un fauteuil
[Avignon], 1914
Mine de plomb sur papier
29,8 x 20 cm
Collection Marina Picasso
Galerie Jan Krugier,
Ditesheim & Cie, Genève

Fig. 139
La Vieille femme. [Avignon], 1914. Mine de plomb sur papier. 18 x 13,5 cm.
Collection Marina Picasso. Galerie Jan Krugier, Ditesheim & Cie, Genève

attend benoîtement les métamorphoses qui seraient encore à venir. Dans le même temps, réduits à leurs lignes constructives, fauteuil, tablier, fichu, jupe plissée deviennent rectangle, trapèze, triangle, faisceau de parallèles. La photographie autorise de telles fusions entre plages tonales contiguës, interface où le jeu linéaire ne distingue plus l'organique du géométrique. Ce travail d'association imagée introduit aux dessins polymorphiques de cette même période qui, semblablement, découvrent des parentés inattendues entre le corps et les objets de son environnement. Ce principe aboutira aux toiles *Portrait de jeune fille*[336] ou *Homme assis au verre*[337] (fig. 141), visions invérifiables où la restitution optique se morcelle comme en citations fragmentaires d'un trompe-l'œil photographique.

A partir de ce même été 1914 se développe une série, alternant naturalisme et abstraction, de figures d'homme tour à tour accoudé, assis près d'une table, bras croisés… dont plusieurs sources photographiques ont pu être identifiées. Ainsi, les dessins *Homme assis à une table*[338] et *Homme assis près d'une table*[339] procéderaient-ils pour une part d'une carte postale représentant « J. H. Fabre à sa petite table de travail » (fig. 152 et 153). Dans un intérieur provençal, l'entomologiste s'absorbe, les yeux dans le vague. L'architecture de la cheminée, de la chaise, du pupitre forme la grille sur laquelle le dessin fait jouer la courbure contournée du bras, la ligne du chapeau, le cercle de la main fermée sur le crayon. On doit également examiner un cliché ancien collé sur carton, image dépareillée d'une vue stéréoscopique (fig. 140). Il s'agit d'une scène de café. Un homme en gibus, bras et jambes croisés, se détache sur un placard publicitaire. A ses côtés, deux comparses jouent aux cartes. L'aquarelle *Homme lisant un journal*[340] (fig. 142) semble en recomposer les principaux éléments[341], de même que la toile *Homme assis au verre* (fig. 141) reprend le schème du personnage associé à une affiche. Les motifs rendus en pointillés pourraient se référer tant à la décoration en panneaux de la salle de café qu'aux courbes du guéridon. On verrait ainsi l'usage d'une même source se déployer dans deux registres différents : dessin superposant les plans perceptifs, peinture mettant à plat, comme des idéogrammes, les signes les plus pertinents de l'image.

Avec les deux variantes *Homme accoudé à une colonne*[342] et *Homme moustachu accoudé à une balustrade*[343] (fig. 144 et 146) se précise le motif des hommes accoudés qui se confondra par la suite avec celui des hommes assis à une table. Un même ensemble photographique leur a servi de point de départ. Il s'agit d'une série de portraits carte de visite signés « Abdullah frères, phot. ». Picasso s'est plus particulièrement attaché à celui qui figure un jeune homme debout appuyé à un de ces pilastres tronqués fréquemment utilisés au siècle dernier pour soutenir la pose (fig. 143). L'attitude générale, l'angle des pieds, le pli gonflé

336. D-R 784, Z II** 528.
337. D-R 783, Z II** 845.
338. Z XXIX 12.
339. Z XXIX 13.
340. MP 759.
341. La typographie de l'annonce hippique devient affiche de casino. La posture du joueur à la tête baissée celle d'un lecteur. Le miroir où se dédoublent le haut-de-forme et les objets posés sur le bar, serait signalé par le cadre mouluré, l'angle qui se découpe en haut à droite du dessin, le fantôme de gibus estompé au crayon. La ligne de dos du joueur en casquette inspirerait le contour sombre du dessin, lequel pourrait également faire écho au défaut du négatif qui forme lacune dans le cliché. Détails de mobilier et cercle de la table au premier plan sont également identifiables.
342. Succ. 1678, pas dans Z.
343. Z VI 1205, Succ. 1677.
344. Un autre cliché, figurant son modèle en pied appuyé à un fauteuil, laisse voir de larges jambes de pantalon que reprennent les dessins (fig. 145). Modifiant le vêtement, ceux-ci conservent le tracé caractéristique de l'encolure. Le visage aux traits accusés du modèle emprunte aux diverses photographies. Et, si la chéchia disparaît, son contour caractéristique inspire à la fois la déclivité et le sommet arrondi du crâne. Un « portrait » du modèle accoudé à un pilastre est, par ailleurs, reconnaissable dans une huile de 1915, *Tête de jeune homme*, premier exemple de « retour au visage humain classique traité à l'huile », D-R 813, Z VI 1281.

de la manche d'où sort le poignet se retrouvent, à des détails près, dans les deux dessins. L'un substitue un balustre au pilier et donne de la main une version complète et hors d'échelle ; ainsi apparaît déjà cette disproportion caractéristique qui sera systématisée dans les années vingt[344]. Provenant du même studio, un cliché (fig. 147) représentant un vieil homme accoudé à une table livre une référence essentielle pour l'œuvre de cette année 1914. Il fut en effet, de toute évidence, pris comme modèle pour le dessin *Homme barbu à la pipe, attablé*[345] (fig. 148), étude pour *Le Peintre et son modèle* (fig. 151) réalisé durant l'été. Tous les éléments de la photo s'y retrouvent, à la seule exception de la coiffe et du costume turc auquel se substitue un vêtement d'ouvrier[346]. L'expression de lassitude que trahit la photographie devient, dans le dessin, celle d'une profonde rêverie. D'autres versions de ce thème de l'*Homme attablé*[347] introduiront des variantes, telles une main droite reposant sur la table ou les jambes postées de part et d'autre de son pied. La source du cliché oriental pourrait en effet s'y combiner avec la carte postale consacrée à J. H. Fabre (fig. 152), autre figure de vieillard perdu en lui-même. A ces corps voûtés, affaissés, le dessin greffe cependant un visage qui serait emprunté aux autres modèles, plus jeunes, de la série Abdullah. Cette juvénilité, le costume ou la chaise de paille évoquent alors fortement l'autoportrait photographique pris par Picasso, l'année précédente, devant sa *Construction au joueur de guitare*[348] (fig. 149). Assis de biais, l'artiste s'appuie du coude sur le dossier de la chaise comme l'un de ses *Homme attablé*[349].

A l'été 1914, la plupart des éléments évoqués ci-dessus, clichés anonymes, dessins, autoportrait photographique, entrent en symbiose visuelle et préparent directement à la réalisation de la toile *Le Peintre et son modèle*. On a pu voir dans cette œuvre une représentation de Picasso en compagnie d'Eva et, dans son inachèvement, la trace d'un élan créatif brisé par la déclaration de la guerre[350]. On pourrait également y lire un subtil rapport au photographique. De même que l'artiste se tenait devant la *Construction au joueur de guitare*, son double symbolique se découpe ici sur le fond bleu-vert-brun de ce qui serait une toile accrochée au mur de l'atelier[351]. Le modèle demi-nu appartient autant à l'œuvre – le fond – qu'à l'espace réel, l'atelier. Un autre cliché (fig. 150) retrouvé dans les archives du peintre – une plaque de verre dont seule la partie inférieure a été impressionnée, sans doute du fait d'une mauvaise manœuvre du châssis – laisse voir les jambes croisées d'un homme assis sur une chaise de paille ; la vue est prise dans un jardin et évoque les autoportraits que Picasso réalise régulièrement à partir de 1909. A mi-hauteur, la plaque restée vierge est envahie par une zone d'ombre où l'image latente n'a pu se former. Semblablement, *Le Peintre et son modèle* joue du visible et de l'invisible, du réel et du représenté, du fini et de l'inaccompli, du dessin et de la peinture à l'huile. L'inachèvement, joint à un éloge des moyens de la figuration, serait ainsi une manière de poser les termes d'une nouvelle problématique de la peinture.

On peut en suivre les méandres dans la riche séquence des *Homme à la pipe*[352] qui se développe de 1914 à 1916 ou avec la toile *Homme au chapeau melon assis dans un fauteuil*[353] (fig. 154). Cette dernière emprunterait des éléments signalétiques à un portrait carte de visite représentant un homme en gibus

---

345. Z XXIX 77, MP 744.
346. L'extrémité du pouce pointant derrière l'index dressé donne l'amorce graphique de la pipe. Quant à la table de bois, elle transpose visuellement la large rayure claire qui se déplie à angle droit sur le tapis de table.
347. Notamment Z VI 1198, MP 746 et Z VI 1199, MP 745.
348. Sur ce cliché, cf. Baldassari 1, p. 228 et ill. 165.
349. Z VI 1198, MP 746.
350. Cf. Daix et Rosselet, p. 333. Pour sa part, Kenneth E. Silver a bien identifié, chez Géricault ou Cézanne, les sources picturales de la figure mélancolique du peintre assis, cf. Silver, p. 58 et fig. 35-36.
351. On notera de plus que, sur ce cliché, le bas de la toile servant de fond à la *Construction* forme une ligne dans le prolongement du coude qui suggérerait aisément une table.
352. Notamment, dans la collection du musée Picasso, les œuvres MP 399, 747 à 757.
353. Z II** 564, D-R 842.

Fig. 140
Anonyme
Scène de café
vers 1860
Epreuve sur papier albuminé
(vue stéréoscopique)
6,7 x 7 cm
Paris, archives Picasso

Fig. 141
Homme assis au verre
[Avignon-Paris, 1914-1916]
Huile sur toile
238 x 167,5 cm
Collection particulière

Fig. 142
Homme lisant un journal. Avignon, été 1914. Aquarelle et mine de plomb sur papier.
32,1 x 23,9 cm. Paris, musée Picasso

Fig. 144
Homme accoudé
[Avignon], 1914
Crayon sur papier
30 x 20 cm
Collection particulière

Fig. 143
Abdullah frères,
Constantinople
Portrait d'un jeune homme
[1860-1890]
Epreuve sur papier albuminé
(carte de visite)
Paris, archives Picasso

Fig. 145
Abdullah frères,
Constantinople
Portrait d'homme en pied
[1860-1890]
Epreuve sur papier albuminé

Fig. 146
Homme moustachu accoudé à une balustrade. [Avignon], 1914.
Crayon sur papier. 29,5 x 20 cm. Collection particulière

Fig. 147
Abdullah frères, Constantinople
Portrait d'un vieil homme
[1860-1890]
Epreuve sur papier albuminé
(carte de visite)
Paris, archives Picasso

Fig. 148
Homme barbu à la pipe, attablé
Avignon, été 1914
Plume et encre brune sur
papier
20,9 x 21,8
Paris, musée Picasso

Fig. 149
*Autoportrait devant « Construction
au joueur de guitare »*
Paris, atelier du 242,
boulevard Raspail, 1913
Epreuve gélatino-argentique
16,6 x 10
Paris, archives Picasso

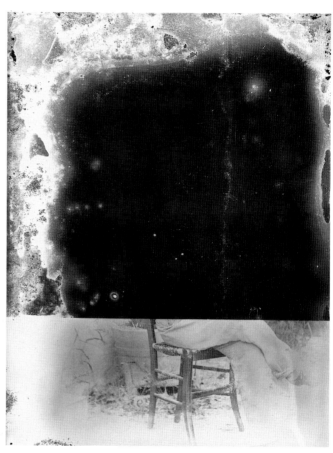

Fig. 150
Homme assis
Epreuve moderne
d'après le négatif original
Paris, archives Picasso

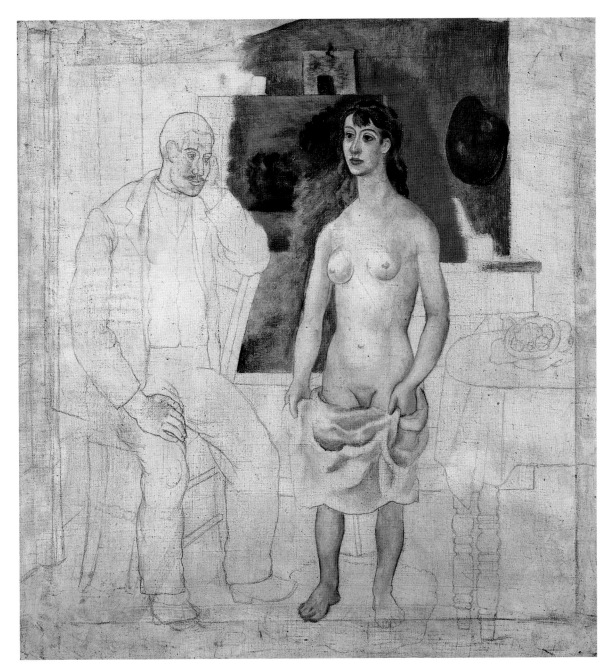

Fig. 151
Le Peintre et son modèle
Avignon, été 1914
Huile et crayon sur toile
58 x 55,9 cm
Paris, musée Picasso

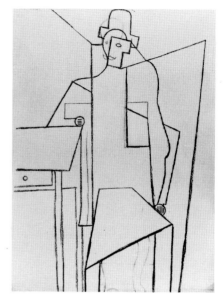

Fig. 152
Edition Paul-H. Fabre,
Sérignan, Vaucluse, [1910-1914]
J.-H. Fabre à sa petite table de travail
Phototypie (carte postale)
Paris, archives Picasso

Fig. 153
Homme assis près d'une table
Avignon, 1914
Crayon gras sur papier
32,5 x 23,5 cm
Collection particulière

Fig. 154
Homme au chapeau melon assis
dans un fauteuil (Homme à la pipe)
Paris, été-automne 1915
Huile sur toile
130 x 89,5 cm
Chicago, The Art Institute

Fig 155
E. Hoenisch
Edvard Grieg
Troldhougen, 1907
Epreuve gélatino-argentique
(carte postale)
Paris, archives Picasso

Fig. 156
Ad. Yva, Paris,
52 rue Fontaine-St-Georges,
vers 1870
Portrait d'homme en gibus
Epreuve sur papier albuminé
(carte de visite)
Paris, archives Picasso

accoudé à une table[354] (fig. 156), aussi bien qu'à une carte postale figurant le compositeur Edvard Grieg[355] (fig. 155) pour les agencer selon sa trame géométrique et décorative[356]. Le gilet boutonné ou les mains pourraient indifféremment provenir des deux clichés qui n'auraient été que le prétexte visuel d'un portrait à vocation générique. Ce serait renouveler la méthode déjà utilisée dans les tableaux cubistes de 1911 comme *Le Poète* ou *Homme à la pipe*[357], qui recomposaient librement signes identitaires ou éléments communs de décor issus des portraits photographiques d'Apollinaire, de Max Jacob, de Ramon Pichot ou de Frank Burty Haviland dans l'atelier du boulevard de Clichy[358]. On peut, de même, identifier dans la série des *Homme à la pipe* de 1914-1916 ce qui provient des divers clichés évoqués précédemment : vue stéréoscopique (le gibus, l'affiche, les jambes et bras croisés), carte de J. H. Fabre (la petite table, la géométrie du fond), cartes de visite du studio Abdullah (l'homme accoudé), autoportrait à la *Construction au joueur de guitare*, photographie ratée… La séquence décline ainsi le double thème des jambes croisées et du bras accoudé, jouant des homologies formelles bras/jambes/pieds torses du mobilier. La scansion répétitive de ces différents motifs fournira la structure de la grande toile *Homme accoudé sur une table*[359] (fig. 203). Dans l'un de ses retournements caractéristiques, Picasso prendra alors ce tableau pour fond de la remarquable série d'autoportraits photographiques où il se représentera successivement en costume et lavallière et en vêtement d'ouvrier zingueur avant de poser en caleçon[360]. Cette dernière épreuve laisse voir *Homme assis au verre*[361], *Arlequin jouant de la guitare*[362], *Homme à la moustache*[363] en cours d'exécution. Une telle confrontation avec la peinture suggère une sorte de continuité visuelle entre l'image corporelle de l'artiste et son œuvre, dont Picasso explorait les ressources dès son cliché de 1901, *Autoportrait au chapeau haut-de-forme*. Les rapprochements, les prolongements qui s'opèrent ainsi de l'organique au géométrique ou du modèle à son environnement seront particulièrement suggestifs pour la peinture qui se développe à partir de 1914. Le peintre lui-même se place au centre du dispositif spatio-pictural de la prise de vue, s'y déguise ou s'y déshabille, se plaisant à un jeu « transformiste » à la Fregoli pour, sans doute, multiplier les virtualités d'une telle fusion optique.

1916-1920, « PLUS LOIN QUE LE MOUVEMENT, POUR ARRÊTER L'IMAGE »

De son ami Guillaume Apollinaire, Picasso fait, au cours de l'année 1916, trois dessins qui figurent le poète après sa trépanation. Hélène Seckel[364] n'écarte pas que l'un d'entre eux, *Portrait de Guillaume Apollinaire blessé*[365] (fig. 159) ait été réalisé d'après une photo où le modèle apparaît au milieu d'un groupe à l'hôpital italien, quai d'Orsay (fig. 160). Le même cliché pourrait cependant avoir servi à l'exécution des deux autres dessins qui le montrent également tête bandée[366] (fig. 158) ou portant un calot[367] (fig. 157). Sur les trois effigies, Picasso a tenu à faire figurer la croix de guerre, reçue par le poète le 17 juin 1916. Alors que le premier dessin est un simple buste de profil, les deux autres figurent

354. Cliché signé « AD. YVA. Phot. ».
355. Carte signée « E. Hoenisch Phot. » et datée de 1907.
356. L'œuvre juxtapose ainsi un panama mâtiné de haut-de-forme, le sourcil broussailleux ou le nez rond du compositeur, les lèvres étrangement ouvertes sur les dents de l'homme au gibus, sa barbe, sa pupille retouchée… Les dessins que Daix et Rosselet rapprochent de cette toile (p. 172) mais que Zervos date de 1914, emprunteraient plutôt à la carte postale « J. H. Fabre ».
357. Respectivement, Z II** 738, D-R 422, et Z II* 285, D-R 423.
358. Cf. Baldassari 1, p. 112-125, fig. 88 à 93.
359. 1916, Z II** 550, D-R 889.
360. La séquence est analysée dans Baldassari 1, p. 64-78, fig. 47 à 51 et à nouveau évoquée *infra*, chapitre IV, p. 212.
361. Z II** 845, D-R 783.
362. Z II** 518, D-R 762.
363. Z II** 468, D-R 759.

Apollinaire assis de biais sur une chaise, devant un fond de cheminée et de lambris qui évoque l'appartement de la rue Schoelcher[368]. Même si une séance de pose eut réellement lieu, elle n'aurait pas exclu des références visuelles au cliché. Ainsi, dans un cas, le bras gauche s'appuie à une table qui prend exactement la place du dossier de chaise sur la photo. La pose et le vêtement empruntent par ailleurs aux divers membres du groupe. Picasso fait glisser vers la poitrine d'Apollinaire la décoration épinglée sur l'uniforme de son voisin. Le bras par-dessus le dossier du siège est celui du militaire du centre dont le modèle, dans l'un des dessins, chaussera également les bottes luisantes[369]. Pour ce qui est du visage, les deux portraits à la tête bandée exploitent la pose propre au cliché où le poète est presque détourné, tandis que ses yeux restent dirigés vers l'objectif : l'un de ces dessins en tire le contour d'un franc profil, l'autre, l'orientation caractéristique du regard. Pour sa part, le portrait au calot évoque très fortement la physionomie et l'expression que le modèle arbore sur une photographie prise de lui au palais de justice, en 1911, lors de l'instruction relative au vol des sculptures ibériques du Louvre[370] (fig. 161). Picasso condense ainsi l'image du désarroi et de l'infamie avec les « honneurs » que, par le dessin, il veut rendre à son camarade héros de la guerre. Photo-réalisme ? Ce serait plutôt l'une de ces machinations du peintre où Apollinaire voudra lire « une sorte de sur-réalisme (…) qui se promet de modifier de fond en comble les arts et les mœurs dans l'allégresse universelle »[371]. Le dessin naturaliste où, à la suite d'Ingres, on a voulu voir le mode le plus exigeant de la restitution du réel, peut ainsi prendre les libertés nécessaires pour faire dire aux apparences la vérité des êtres.

Le retour au « portrait » se développera en 1919-1920 en prenant pour modèles les musiciens Igor Stravinsky, Manuel de Falla, Erik Satie[372] (fig. 167, 169 et 165), les peintres Pierre-Auguste Renoir[373] ou André Derain[374] (fig. 163 et 164), la marchande Berthe Weill[375] (fig. 168). La ligne ténue à la mine de plomb et le léger frottis matérialisant ombres et modelé font alors place à de grands dessins au fusain et à l'estompe. Picasso y joue de la rature, du repentir, de l'effacement comme d'un sédiment d'où surgit le tracé définitif. Il n'est pas établi que ces dessins, considérés comme « photographiques » au vu de leur précision descriptive, aient tous été réalisés d'après un cliché. Ils partagent cependant bien la technique et le vocabulaire plastique des œuvres de ce type. La ligne va, se tord, selon une logique expressive qui laisse le trait se dérégler, s'enfler. Se produisent ainsi des effets subits d'amplification, de rapprochement qui feraient croire à des premiers plans imprévus. L'œil, pris dans la spirale qui se dévide, interprète ces proximités sur le mode de la catastrophe. Les mains ne peuvent avoir cette monumentalité, ni la jambe

364. Seckel 4, p. 188.
365. Z VI 1324, MP 1993-5.
366. Z II** 923.
367. Z XXIX 200.
368. Ce même arrière-plan est reconnaissable dans les portraits de Max Jacob et d'Ambroise Vollard réalisés en 1915. La chaise figure également dans ce dernier dessin et réapparaîtra dans plusieurs dessins datant de 1918-1919 (Z III 380, MP 836) ou de 1920 (MP 898, pas dans Z) figurant la salle à manger de la rue La Boétie.
369. De même, la main gauche emprunte son geste soit à ce compagnon, soit à celui assis immédiatement à côté d'Apollinaire. Un dernier détail, assez insolite, est commun aux deux portraits assis : le vase posé de guingois à hauteur des épaules du modèle. Serait-ce une blague sur le mode de « l'allégresse universelle » que d'avoir ainsi repris l'exact contour du crâne aux oreilles très décollées de ce même voisin ?
370. Un récit détaillé de l'affaire est donné par Peter Read, cf. Read, p. 69-74. Picasso possédait tout un jeu des photographies de presse relatives au procès.
371. Cf. Apollinaire 2, p. 865.
372. Z IV 60, MP 911 ; Z IV 59, MP 910 ; Z IV 62, MP 915.
373. Z III 413, MP 913.
374. Z III 300, MP 838.
375. Paris, 1920, pas dans Z.

cette ampleur. Comme écrasé sur le plan de la feuille, le dessin perd en profondeur représentée pour susciter comme un mouvement de balancier visuel. Ce battement entre l'avant et l'arrière fait ressurgir, sur un nouveau mode, le travail de déstabilisation perceptive entrepris avec les « papiers collés » cubistes. Une simple ligne, par essence cursive, abstraite, non mimétique, est dès lors le seul outil d'un tel artifice. Tout semble ainsi fait pour que l'observateur adhère, à première vue, à la qualité « photographique » de la représentation pour aussitôt devoir douter de son bien-fondé. Comme si Picasso se plaisait à ébranler la vraisemblance de l'image là où on s'y attendait le moins, le doute sur les apparences surgissant du cœur même de la tautologie dessin/photo/réalité. Dans ce jeu ambivalent, l'artiste put à la fois accompagner, voire anticiper, le « retour à l'ordre » figuratif et y prolonger son déni antérieur de l'illusionnisme. Mieux que ne le fit alors la critique avant-gardiste, une anecdote rapportée par l'un de ses modèles permet de mesurer la réalité de cette mise en cause. Voulant, en 1917, passer la frontière d'Italie en Suisse, Stravinsky emportait avec lui le portrait que Picasso avait dessiné de lui à Rome[376] (fig. 166). Il dut s'en séparer, les autorités militaires affirmant : « Ce n'est pas un portrait mais un plan ». Ce fut en vain que le musicien répliquait : « Oui, le plan de mon visage, mais pas d'autre chose »[377]. La présence même du modèle ne suffit donc pas à convaincre ses interlocuteurs. Que le dessin ait été fort probablement réalisé d'après une photo de groupe prise dans l'atelier romain de Picasso[378] ne changerait pas davantage son effet perturbateur. Passant de la rubrique du « portrait » à celle du diagramme, il témoigne du caractère pour le moins contradictoire de ce que Picabia avait cru pouvoir résumer à l'évidence d'un style « Kodak ».

Parmi les grands dessins au fusain évoqués ici prend place un portrait de Renoir datant de 1919[379] (fig. 163). Il est connu que cette œuvre dérive d'une photographie (fig. 162) prise en 1913 et provenant de chez Ambroise Vollard[380]. Picasso en possédait un tirage. Le cliché montre le modèle atteint de la maladie qui le contraignit à peindre durant ses dernières années en fichant ses pinceaux dans ses poings tordus. L'image photographique donne à lire cette déformation dans toute sa brutalité en même temps qu'elle impose la vive acuité d'un regard que la pose oblique du buste rapproche encore du spectateur. A l'annonce de la mort du peintre, en décembre 1919, Picasso réalise, comme pour lui-même[381], une interprétation graphique au crayon et fusain du cliché. Le cadrage en est resserré sur le buste du vieillard, calant dans l'angle droit, en un premier plan accusé, sa main la plus étrangement crispée dont les plis de la manche forment comme l'amorce tourmentée. Constat photographique et dessin se superposent ainsi avec une force particulière. Vecteur de sens, la ligne synthétise, dramatise. Le jeu des traits de fusain estompés laisse deviner chacune des esquisses successives, prêtant au dessin l'efficace d'un véritable *cinétisme*. On observe ainsi que Picasso avait tout d'abord placé le sujet dans une attitude identique à celle décrite par le cliché, puis qu'il l'a fait glisser, en trois états distincts, jusqu'à sa mise en place définitive. La main difforme vient, comme par prises successives et saccadées le long de l'accoudoir, se cramponner au bord extrême de la feuille. Par cette sismographie hésitante du tracé, la vie physique du modèle, son infirmité trouvent ainsi un équivalent perceptif dans l'histoire matérielle du dessin.

376. Rome, 1917, Z III 24.

377. Cf. Stravinsky, p. 108.

378. Ce cliché (fig. 214) appartient à une série de trois photos qui sera évoquée au chapitre IV *infra*, p. 213 à 219.

379. Cette même année, dans la correspondance qu'il échange depuis Londres avec Paul Rosenberg, Picasso manifeste un vif désir de rencontrer Renoir. Il réalise, également en 1919, la série de dessins inspirés d'un portrait des époux Sisley par Renoir (cf. chapitre IV).

380. Z III 413, « d'après une photographie ». Le rapprochement avec le cliché est l'un des exemples relatifs à Picasso cités par Van Deren Coke, cf. Van Deren Coke, p. 63-64. Le cliché a été publié, dans un cadrage plus large, avec la mention « Cl. Vollard » dans Rivière. Kenneth E. Silver (cf. Silver, p. 358-359) attribue la photo à Léon Marotte qui ne semble être responsable que de son héliogravure.

381. L'œuvre restera dans sa collection et passera, par dation, au musée Picasso.

Exécuté à Londres en 1919, le *Portrait d'André Derain* (fig. 164), étroitement cadré, traite semblablement les mains du peintre, dans un mouvement qui les déporte, de manière accélérée, au tout premier plan. Basculant corps et tête vers l'arrière, le dessin ébranle la hiérarchie usuelle du portrait dont le centre se doit d'être le visage, siège de l'esprit et de l'expression. Un tel parti doit sans doute à l'expérience picassienne de la prise de vue. On a en effet souligné combien les portraits et autoportraits photographiques que Picasso multiplia au cours des deux premières décennies du siècle, adoptent souvent un angle caractéristique en forte contre-plongée[382]. Tel un effet de signature, ce choix qui magnifie la stature corporelle aux dépens de la tête, s'inscrit en une rupture délibérée d'avec les conventions de la photographie académique. Il impose une perception toute personnelle où le sujet prend un caractère tactile, sensuel, physique autant que visuel, ou pour reprendre les termes d'Otto Pächt, *haptique* aussi bien qu'optique[383]. Identifié au point de vue du Prince, le regard classique se portait sur autrui, comme sur le monde, à hauteur d'œil, de visage, et depuis un centre également omniscient. C'est accroupi au sol que Picasso peint, photographie, dessine, et toute une part de son œuvre inscrit en elle la singularité d'un tel porte-à-faux perspectif.

Cette approche à la fois subjective et dynamique est également reconnaissable dans les portraits de Satie, de Stravinsky et de de Falla. Posant sur le même fauteuil de bois de l'atelier de la rue La Boétie, les trois musiciens sont traités dans une séquence qui tend à les confondre. Le premier fait l'objet d'un cadrage éloigné qui le coupe aux jambes[384] (fig. 165). Stravinsky est vu de plus près[385] (fig. 167), tandis que Manuel de Falla sera figuré à mi-cuisse, comme en gros plan (fig. 169). Chacun des portraits confère par ailleurs aux mains une forte charge expressive comme si, en elles, dans leur entrecroisement, leur dilatation graphique, s'exprimait la vie même de la musique. Voisin par la posture, faisant usage du même siège d'atelier, le *Portrait de Berthe Weill* (fig. 168) associe, dans une semblable vibration, raturage et précision tandis que les mains strictement gantées, le chapeau ou le lorgnon sont rendus avec une insistance presque fétichiste.

Les procédés ciné-graphiques utilisés dans les portraits de Renoir et de Derain, connaissent leur développement le plus systématique avec le corpus des dessins au fusain et à l'estompe inspirés à Picasso par la troupe des Ballets russes. Pour la plupart réalisés d'après photographie, ceux-ci se donnent en effet pour défi d'exprimer par l'image fixe – un dessin – le concept même de la dynamique corporelle, sa formulation presque théorique : la danse. Picasso désignera lui-même un tel paradoxe : « Le rôle de la peinture, pour moi, n'est pas de peindre le mouvement, de mettre la réalité en mouvement. Son rôle est plutôt, pour moi, d'arrêter le mouvement. Il faut aller plus loin que le mouvement pour arrêter l'image, sinon on court derrière. A ce moment-là seulement, pour moi, c'est la réalité »[386]. Le caractère aphoristique de tels propos ne doit pas conduire à sous-estimer leur portée descriptive. Arrêter le mouvement ? Mieux, arrêter l'image elle-même.

D'une telle dialectique témoignerait, à un haut degré de complexité, un dessin de cette même époque intitulé *Paysans italiens*[387] (fig. 170). Précisant l'indication du catalogue Zervos, Roland Penrose affirme

382. Cf. Baldassari 1, p. 57.

383. Cf. Pächt, p. 144-149.

384. Il existe un autre dessin, datant également de mai 1920, représentant Satie en buste et exécuté très probablement d'après un cliché publié, en mai 1917, dans le programme des Ballets russes. Cf. Volta, notice 120, p. 138-139.

385. Outre ce dessin et celui réalisé à Rome, Picasso fit, en décembre 1920, un troisième portrait du musicien (Z IV 220) où celui-ci est assis dans la chaise basse de tapisserie qui apparaît, pour la première fois, dans la toile *Olga dans un fauteuil* (cf. chapitre IV, p. 191 et suivantes).

386. Cf. Parmelin, p. 41.

387. Z III 431, « d'après une photographie ».

Fig. 157
Portrait de Guillaume
Apollinaire
Paris, 1916
Crayon graphite sur papier
48,8 x 30,5 cm
Collection particulière

Fig. 158
Portrait de Guillaume
Apollinaire
Paris, 1916
Crayon sur papier
31 x 23 cm
Collection particulière

Fig. 159
Portrait de Guillaume
Apollinaire blessé
Paris, 1916
Crayon noir sur papier
29,7 x 22,5 cm
Paris, musée Picasso

Fig. 160
Anonyme
Guillaume Apollinaire et un groupe
à l'hôpital italien, quai d'Orsay
Paris, printemps 1916
Epreuve gélatino-argentique
9 x 18 cm
Paris, archives Picasso

Fig. 161
Anonyme
Guillaume Apollinaire et son avocat,
Me José Théry
Paris, septembre 1911
Epreuve gélatino-argentique
12,5 x 18 cm
Paris, archives Picasso

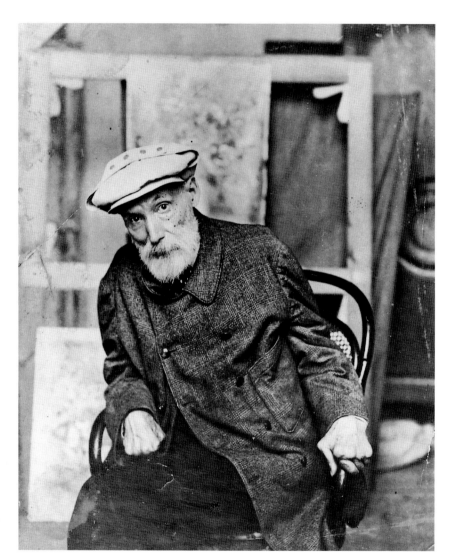

Fig. 162
[Ambroise Vollard]
Pierre-Auguste Renoir
[Vence, 1913]
Epreuve gélatino-argentique
29,3 x 23,5 cm
Paris, archives Picasso

Fig. 163
Portrait d'Auguste Renoir. Paris, 1919-1920. Mine de plomb et fusain sur papier.
61 x 49,3 cm. Paris, musée Picasso

Fig. 164
Portrait d'André Derain. Londres, [mai-juillet] 1919. Mine de plomb sur papier.
39,9 x 30,8 cm. Paris, musée Picasso

Fig. 165
Portrait d'Erik Satie. Paris, 19 mai 1920. Mine de plomb et fusain sur papier.
62 x 47,7 cm. Paris, musée Picasso

Fig. 166
Portrait d'Igor Stravinsky
Rome, 1917
Crayon sur papier
27 x 25 cm
Collection particulière

Fig. 167
Portrait d'Igor Stravinsky. Paris, 24 mai 1920. Mine de plomb et fusain sur papier.
61,5 x 48,2 cm. Paris, musée Picasso

Fig. 168
Portrait de Berthe Weill
Paris, printemps 1920
Mine de plomb
62 x 47 cm
Collection particulière

Fig. 169
Portrait de Manuel de Falla
Paris, 9 juin 1920
Mine de plomb et fusain sur
papier
63 x 48 cm
Paris, musée Picasso

Fig. 170
Paysans italiens. 1919. Crayon et fusain sur papier. 61,2 x 49,5 cm
Santa Barbara, The Santa Barbara Museum of Arts, don Wrigt S. Ludington, 1946

qu'il s'inspire d'une carte postale représentant un couple de Tyroliens en costume[388]. Cette source n'étant pas plus précisément identifiée à ce jour, l'hypothèse a été avancée que l'œuvre représenterait un sujet décoratif de terre cuite dans la manière de ceux de Bartolomeo Pinelli[389] et, plus probablement, que Picasso aurait travaillé d'après une photo figurant un tel objet. Si tel était bien le cas, le dessin, avec sa superposition du trait aux tracés, viendrait ainsi comme « hanter » d'une vie nouvelle les lointains modèles que la statuaire a figés dans leur mouvement avant que la photographie ne les fixe à nouveau sous l'angle et la lumière voulus par la prise de vue. Le dessin, comme un calque glissant sur les apparences mouvantes, réinvente alors la trace imaginaire d'un ici et d'un maintenant. De même, pour ses œuvres à thème chorégraphique des années 1919-1920, Picasso n'a pas fait usage de clichés de plateaux qui auraient tenté de saisir la danse comme événement, comme performance physique et artistique. Ses sources sont, au contraire, des clichés de groupe assez laborieusement posés où chaque ballerine se montre crispée dans l'effort immobile d'évoquer son rôle : des postures agencées avec soin et artificiellement fixées. Non pas un ballet photographié mais un mouvement immobile visant à en imager le concept.

Deux clichés de Saul Bransburg[390] montrent les danseuses de la troupe dans un jardin de Monte-Carlo. Pour le premier, les ballerines portent capelines et manteaux romantiques[391] (fig. 173). Sur l'autre, parées de petites ailes de gaze, elle simulent quelque figure (fig. 171). De chacune des photos, Picasso tirera un dessin. *Danseuses*[392] reprend l'ensemble du groupe costumé, relevant les principaux méandres qui forment le « tableau » (fig. 174). L'artiste souligne les postures, s'attache au dessin des mains, place les ombres les plus accentuées. Les personnages occupent toute la page du carnet, ignorant l'environnement luxuriant du parc méditerranéen. Du second cliché, Picasso isole le couple qu'Olga Khokhlova forme, au centre, avec une autre ballerine pour en faire le sujet du dessin *Deux danseuses*[393] (fig. 172). Signée White[394], une photographie de 1916 (fig. 175) ayant servi à illustrer une publicité pour le ballet des Sylphides lui inspirera également deux autres dessins. *Groupe de sept danseuses*[395] (fig. 176), réalisé à l'aquarelle et à l'encre de Chine, en conserve la composition générale ainsi que l'effet de médaillon propre à la mise en page imprimée où le cliché était découpé selon un contour circulaire et enjolivé d'un motif floral. Le groupe se trouve ainsi centré, le cadrage graphique recoupant la forme des tutus et couvrant le fond d'un réseau de hachures enserrant la ligne des corps. Les modèles y déclinent la gestuelle classique, bras en arceau au-dessus de la tête, mains jointes ou relevées pour feindre un chuchotement. Langage réduit aux membres supérieurs, tandis que les corps se perdent dans la volumétrie éthérée des robes de ballet et l'étagement des figures du groupe. Allongée à l'avant-scène, Olga est la seule à se présenter toute entière au regard. La déformation perspective introduite

388. Cf. Penrose 2, p. 278. L'auteur est affirmatif et s'exprime en des termes qui laissent supposer qu'il a personnellement pu rapprocher le dessin de sa source.
389. Cf. Caradente, p. 71-82.
390. Ce photographe, dont le nom est parfois orthographié Brandbourgh, est l'auteur de clichés des Ballets russes dont certains remontent au moins à 1910.
391. Il s'agit sans doute de la troupe du ballet *Les Papillons*, sur une musique de Schumann, costumes 1830 de Léon Bakst, dont la première eut lieu à l'opéra de Monte-Carlo, le 16 avril 1914. L'arrangement du groupe est conçu comme une évidente citation de la « grande machine » de Franz Winterhalter, *L'Impératrice Eugénie et ses dames d'honneur*.
392. Z III 354, « d'après une photographie ».
393. Succ. 2309.
394. Il pourrait s'agir de Clarence H. White (1871-1925), fondateur de *Photo-Secession* en 1902 et de *Pictorial Photographers of America* en 1912, qui ouvrit un studio à New York en 1906. Le cliché aurait été pris lors du passage des Ballets russes au Metropolitan Opera House de Broadway en janvier 1916. Olga Khokhlova participa à cette tournée dont le programme comportait notamment *Les Sylphides*.
395. Z III 355, « d'après une photographie » ; Succ. 2301.

par ce premier plan est soulignée par Picasso qui miniaturise les têtes de plusieurs des modèles. L'autre dessin tiré de la même source, *Sept danseuses*[396] (fig. 177), en fait, dans un format à la verticale, une lecture plus accusée. Chacune des jeunes femmes conserve sa posture initiale, mais des premiers plans hors d'échelle – les bras d'Olga – s'opposent désormais aux caryatides minuscules que forment les ballerines les plus éloignées. La ligne anguleuse tend cependant à relier toutes les parties de la composition pour dessiner un seul motif intriqué, un réseau continu qui n'est pas sans évoquer certains des dessins de feuillages des années vingt[397]. Le frottis qui redouble le tracé à la mine de plomb contribue à tisser ce nouvel espace physique. Le fusain confère ainsi une valeur toute tactile à la feuille de papier. Il la substantifie visuellement, tentant de lui prêter les qualités de continuum matériel et expressif propres au support photographique.

A partir d'un autre cliché de White (fig. 178), Picasso systématise cependant sa recherche. *Trois danseuses*[398], du début 1919, privilégie le centre de cette photographie, cadrant en hauteur les figures d'Olga Khokhlova, Lydia Lopoukova et Loubov Chernicheva (fig. 179). Rapprochant les modèles l'un de l'autre, outrant leur physionomie jusqu'à la caricature, Picasso joue de l'épaisseur et de la transparence des tulles pour démultiplier le tracé des costumes et propage ce principe graphique au traitement des corps eux-mêmes. L'estompage des lignes, leur emmêlement engendrent un profond trouble perceptif. La feuille prend l'aspect d'une surface sensible qui, plutôt que la lumière réfléchie, aurait enregistré l'image latente du mouvement, de la danse. Cet effet cinétique peut ainsi être lu comme une métaphore de la photographie. On l'a vu ailleurs, lors de l'été passé à Horta-de-Ebro, moment décisif d'une reconstruction cubiste de l'espace, Picasso avait su tirer parti pictural des effets visuels inédits nés de la juxtaposition « stéréoscopique » ou de la superposition de clichés photographiques[399]. La démultiplication des contours pouvaient y évoquer le déplacement du point de vue autour de l'objet ou contaminer l'environnement de sa trace mnésique. Quelque dix ans plus tard, le futurisme de Ballà et de Bragaglia durent rappeler à Picasso de telles expériences tout en les orientant vers la question, aussi temporelle que spatiale, d'une sédimentation kinesthésique de l'image.

Une dernière œuvre, datant de 1919-1920, *Trois danseuses*[400] (fig. 180), découle également du cliché de White. La femme de gauche adopte, de manière bien reconnaissable, la posture d'Olga, une main devant le visage. Mais elle lui attribue le bras levé de Lydia Lopoukova, selon ce principe de « marcottage » que nous avons déjà analysé. Le même modèle semble tourner sur lui-même dans une lente rotation, le dessin le saisissant à différents moments de cet orbe. De face, de profil au centre, puis détournée à gauche, la ballerine danse, décrivant un espace circulaire que le modelé en ronde bosse vient encore signifier. Exécuté sur trois feuillets accolés, l'œuvre expose le processus temporel de sa production. Le déplacement s'y inscrit selon l'exacte règle d'une chronophotographie à la Marey.

Appartenant lui-aussi à la séquence des Ballets russes, le double dessin figurant Serge de Diaghilev et Alfred Seligsberg[401] (fig. 182) applique au portrait cette même recherche sur la vibration de la ligne. Une photographie due au comte Jean de Strelecki en donne la source directe (fig. 181). Sa technique est à l'intersection du dessin au trait relevé de grisaille dont le *Portrait de Max Jacob* manifeste

396. Anciennement intitulé *Le Ballet*, Z III 353, MP 841. Un troisième dessin, *Ballerine*, octobre 1919, passé il y a peu en vente publique (Phillips, New York, 11 novembre 1995), reprend le seul personnage de la danseuse aux mains jointes, à la droite du cliché des *Sylphides*.
397. Z IV 292 ainsi que MP 923 (Z IV 128) et 930 (Z IV 129). Ce rapprochement est dû à William Rubin, cf. Rubin 5, p. 39.
398. Z III 352, MP 834.
399. Cf. Baldassari 1, p. 187-199, fig. 140 à 145.
400. Z XXIX 432, MP 840. Kenneth E. Silver voit à tort dans ce dessin « une pure invention », cf. Silver, p. 214.
401. Début 1919, Z III 301, MP 839.

Fig. 172
Deux danseuses
1920
Crayon sur papier
64 x 47
Collection particulière

Fig. 171 et 173
Saul Bransburg
Danseuses des Ballets russes
[ballet « Les Papillons »]
[Monte-Carlo, avril 1914]
Epreuves gélatino-argentique
18 x 23,8 cm
Paris, archives Picasso

Fig. 174
Danseuses
1919
Encre de Chine sur papier
19,5 x 26,5 cm
Collection particulière

Fig. 175
[Clarence H.] White
Danseuses des Ballets russes,
ballet « Les Sylphides »
[New York, janvier 1916]
Illustration d'un programme
Paris, archives Picasso

Fig. 176
Groupe de sept danseuses
1919
Encre de Chine
et aquarelle sur papier
26,5 x 39,5 cm
Collection particulière

Fig. 177
Sept danseuses. Paris, début 1919. Mine de plomb et fusain sur papier.
62,6 x 50 cm. Paris, musée Picasso

Fig. 178
[Clarence H.] White
*Danseuses des Ballets russes,
ballet « Les Sylphides »*
[New York, janvier 1916]
Epreuve gélatino-argentique
20,6 x 25,5 cm
Paris, archives Picasso

Fig. 179
Trois danseuses
Début 1919
Mine de plomb
et fusain sur papier
62,7 x 47
Paris, musée Picasso

Fig. 180
Trois danseuses. 1919-1920. Mine de plomb sur trois feuilles de papier.
37,5 x 32 cm. Paris, musée Picasso

l'émergence et des portraits au fusain et à l'estompe qui se systématiseront à partir de l'hommage à Renoir. « Il ne reste qu'une ligne pure et sûre »[402] qui enserre avec précision le schéma corporel des modèles, offrant une synthèse volumétrique se limitant à discriminer le clair du sombre et le sombre de l'obscur. Les tracés effacés, peu nombreux, suffisent ici à « arrêter l'image » pour qu'en surgisse « la réalité ».

Les années 1919-1920 présentent enfin plusieurs exemples de dessins où Picasso, dans un cheminement inverse de celui qui l'avait conduit à élaborer, à partir de clichés de ses proches, les tableaux cubistes génériques des années 1910-1911, s'attache à rechercher la singularité inscrite dans des photographies « trouvées ». Comme à plusieurs reprises antérieurement, il se sert alors d'anciennes épreuves carte de visite. Le plus couramment pratiqué jusqu'à la Première Guerre mondiale[403], ce format bon marché assura à la photographie un succès social sans précédent : « Désormais, sur les cheminées, sur les guéridons, sur les consoles, sur les murs des appartements, sourit débonnairement le bourgeois et, à ses côtés, ses hommes d'Etat préférés, ses savants, ses actrices... »[404]. Picasso fera indifféremment usage d'effigies d'inconnus, comme celles d'où découlent les dessins *Homme à la sellette*[405] et *Portrait de famille*[406], ou de figures célèbres, comme pour *La Famille de Napoléon III*[407]. Avec de telles photographies, le portrait avait réduit le sujet au « modèle », à une forme ayant intériorisé les nécessités de la représentation légitime. La famille du souverain se dispose ainsi selon le même arrangement triangulaire que celle du bourgeois anonyme. Et ce dernier présente figure si étrangement semblable dans chacun des clichés que l'on ne saurait dire s'il s'agit de photographies du même individu ou de deux hommes différents que la prise de vue aurait ramenés au même « type ». Dans le décor atone du studio, le sujet dialogue avec un socle, un demi-pilastre, une rambarde à balustres dont le motif contourné s'érige à la parallèle des jambes. Repère anthropomorphe qui suffit à suggérer l'espace d'un « paysage » classique. La technique paraît ainsi entrer dans l'ordre d'une « nature arrangée », *science naturelle*, réglée par ses lois physico-chimiques et dont tout l'art serait d'une exacte mise en scène.

Pour *La Famille de Napoléon III* (fig. 185 et 186) comme pour *Portrait de famille* (fig. 187 et 188), Picasso resserre le cadrage du dessin sur le buste des personnages et le cercle que forment les regards et les mains. Le dessin du trio impérial est rehaussé au pastel, dans une manière proche de celle employée pour le *Portrait d'Olga* datant de 1921[408]. Cette traduction est cependant doublement paradoxale pour une œuvre exécutée d'après une photographie, image dont le registre expressif méconnaît la ligne aussi bien que la couleur. Evoquant l'usage qui consistait à colorier manuellement des daguerréotypes, Roland Barthes faisait part de cette impression qui, dans toute photographie, lui faisait voir la couleur comme « un enduit apposé ultérieurement sur la vérité originelle du noir-et-blanc »[409]. De même, ici, l'adjonction d'aplats chromatiques au lieu de conférer un surcroît de « réalisme », évoquerait plutôt l'enluminure des images d'Epinal[410]. Mais, ici, l'artiste pourrait avoir délibérément joué des connotations symboliques du vocabulaire tricolore.

402. Cf. Penrose 2, p. 279.

403. Le format carte de visite a été inventé par le photographe Disdéri en 1854.

404. Cf. Freund, p. 69.

405. Paris, 1920, Z IV 61, MP 912. Le cliché est issu du studio Antonin, 47 boulevard de Sébastopol, à Paris.

406. Ce dessin, non répertorié par Zervos et conservé dans une collection particulière, a été publié pour la première fois en 1996, Anne Baldassari, « Heads, Faces and Bodies... », article précité, p. 213. Le cliché correspondant est signé « Feulard, peintre et photographe ».

407. Paris, 1920, Z III 412, « d'après une illustration, (resté inachevé) ». Le portrait photographique de Napoléon III, de l'impératrice Eugénie et du prince impérial est issu du studio Levitzky, 22 rue de Choiseul, à Paris.

408. *Portrait d'Olga*, 1921, pastel et fusain, MP 1990-70.

409. Cf. Barthes 2, p. 128.

410. Cf. à propos de l'imagerie populaire, Schapiro 2, p. 47-85.

Picasso semble s'attacher à un sujet plus anodin lorsque, avec *Homme à la sellette* (fig. 183 et 184), il entreprend de transposer le portrait d'un inconnu. Le brouillage du contour viserait ici à suggérer la densité d'une image où se lisent d'un même regard le temps de la prise de vue comme celui qui nous en sépare. « Le procédé lui-même faisait vivre les modèles, non hors de l'instant mais en lui : pendant la longue durée de la pose, ils s'installaient pour ainsi dire à l'intérieur de l'image »[411]. Papier à tonalité gris chaud, mine de plomb, ombre indécise du fusain, les moyens choisis concourent à établir un régime d'équivalence matérielle avec le cliché sépia et ce qui en lui s'est doublement inscrit du *passage* du temps. La stèle, l'homme et le mur de collodion taché sur lequel il s'appuie occupent comme une anfractuosité temporelle dont l'espace du dessin se veut l'équivalent. S'élabore ainsi un portrait « anonyme » où le relevé méticuleux des apparences consigne, en même temps que la banalité de l'image, cette particularité qui lui est propre d'être une trace réelle, l'indice[412] d'une expérience existentielle. La prise de vue exige une telle rencontre, au foyer de l'objectif, entre le regard du modèle et celui de son image, ce dialogue « au miroir » où le sujet livre au médium un moment de son être. « Ne bougez plus ! » Le modèle se raidit, donne à voir le spectacle de cette tension vers l'image. *Portrait de famille* réunit ainsi une mère à la stature de géante, le buste étiré de l'homme où les balustres viennent greffer leurs membres, la tête microcéphale d'un enfant hors de proportions. Alors que le reste du dessin est au trait, ce visage miniature est rendu par un réseau de fines hachures qui restitue le modelé photographique sur un mode proche de celui des journaux illustrés du siècle dernier. Sa matière plus dense s'inscrit, tel un collage, à l'exacte intersection des diagonales. L'effet, notons-le, est étrangement voisin de celui que, par dérision, exhibait le « Kodak » de Picabia. Les personnages se trouvent cependant pourvus de mains énormes, lourds maillons qui encerclent l'image de leur chaîne. Cela ne paraît pas être, en l'occurrence, le fait d'une réelle proximité perspective[413]. Ces mains, élément obligé d'une rhétorique du paraître, laissent plutôt deviner la contrainte que subit le sujet. Dans leur geste noué se concentre l'énergie presque douloureuse de cette action qui est une inaction : la pose. Elles s'arriment à leur support, s'étreignent, rhizomes sensuels d'un corps emmuré dans les convenances. A l'opposé de la gestuelle symboliste des périodes rose ou bleu, *Portrait de famille* illustre la pesanteur toute physique que prennent les extrémités dans le dessin et la peinture de la période 1917-1923. Le modèle se montre ici coupé de soi, dissocié en un grouillement de représentations partielles. Corps appuyé de tout son poids à la balustrade néoclassique, il est là, appelé à la barre pour témoigner, sans possible détour, de son énigmatique présence au monde.

411. Cf. Benjamin, p. 155.

412. Dans la sémiologie de Charles S. Peirce, l'indice (« index ») est un signe qui renvoie à l'objet qu'il dénote par un rapport de connexion matérielle. Cet auteur lui-même a pu suggérer que les photographies, empreintes lumineuses de leur objet, relevaient de cette catégorie, au moins lorsqu'elles ont été « produites dans des circonstances telles qu'elles étaient physiquement forcées de correspondre point par point à leur objet » (cf. Peirce, p. 151). Cf., sur une application à l'analyse de la photographie et de certains aspects de l'art contemporain, Krauss 2, p. 63-91. Pour sa part, André Bazin écrivait, dès 1945, que la photo « prise d'empreinte de l'objet par le truchement de la lumière (...) procède par sa genèse de l'ontologie du modèle » ; il ajoutait à propos de vieux clichés d'album : « Ces ombres grises ou sépia, fantomatiques, presqu'illisibles, ce ne sont plus les traditionnels portraits de famille, c'est la présence troublante de vies arrêtées dans leur durée, libérées de leur destin, non par les prestiges de l'art mais par la vertu d'une mécanique impossible », cf. Bazin, p. 12-14.

413. Aaron Scharf, à la suite de Van Deren Coke, a mis en rapport les disproportions propres à certaines peintures de Picasso datant des années vingt avec les déformations que la perspective photographique, dans la pratique amateur, fait subir aux parties du corps placées au premier plan. Cf. Scharf, p. 272-273. Scharf (p. 369, note 63) reprend l'analyse antérieurement développée par Alfred H. Barr Jr : « Le raccourci grotesque des personnages courant à l'arrière-plan de *Trois baigneuses* évoque les clichés amateurs de pique-niqueurs allongés dont les pieds sont comiquement magnifiés par la caméra » (Barr Jr, p. 130). Ce type de déformation était vivement déconseillé par les ouvrages destinés aux amateurs (cf. par exemple Dillaye, p. 206, qui déplore que la main paraisse si souvent « trop grande, trop massive, trop importante dans l'ensemble »). A l'inverse, un ouvrage paru en 1891 (cf. Bergeret et Drouin, p. 116) pouvait déjà suggérer à ses lecteurs de « tirer parti si bon leur semble » de ce genre d'« exagération de la perspective ».

Fig. 181
Jean de Strelecki
*Serge de Diaghilev
et Alfred Seligsberg*
New York, [avril] 1916
Epreuve gélatino-argentique
23,5 x 17,7 cm
Paris, archives Picasso

Fig. 182
Portrait de Serge de Diaghilev et d'Alfred Seligsberg. Début 1919
Fusain et crayon noir. 65 x 50 cm. Paris, musée Picasso

Fig. 183
Antonin, Paris,
47, B^d Sébastopol
Portrait d'homme
Paris, vers 1870
Epreuve sur papier albuminé
(carte de visite)
Paris, archives Picasso

Fig. 184
Homme à la sellette. Paris, 1920. Mine de plomb et fusain sur papier gris.
48,1 x 39,1 cm. Paris, musée Picasso

Fig. 185
Levitzky, Paris, 23, rue de Choiseul
*Napoléon III, l'impératrice Eugénie
et le prince impérial*
Paris, vers 1865
Epreuve sur papier albuminé
(carte de visite)
Paris, archives Picasso

Fig. 186
La Famille de Napoléon III. 1919. Pastel sur papier.
62 x 48 cm. Collection particulière

Fig. 187
A. Feulard
Portrait de famille
Vers 1870
Épreuve sur papier albuminé
(carte de visite)
Paris, archives Picasso

Fig. 188
Portrait de famille. 1919. [Crayon et fusain sur papier]
84 x 68,5 cm. Collection particulière

Les désordres de la figure

A ceux que déroutaient ses oscillations stylistiques après la période native du cubisme, Picasso répondait en 1923 : « Quand j'entends les gens parler de l'évolution de l'artiste, il me semble que c'est comme s'ils le voyaient entre deux miroirs placés l'un en face de l'autre, miroirs qui répètent son reflet un nombre innombrable de fois, et comme s'ils considéraient la série des images du premier miroir comme son passé et les images du second miroir comme son avenir, alors que lui-même aurait pour eux valeur du présent. Ils n'ont pas l'idée que tout cela ce sont les mêmes images, seulement sur des plans différents »[414]. Commune origine mimétique, différence fondamentale de leurs modes d'existence, cette même « idée » pourrait rendre compte du rapport tout dialectique entre peinture et source photographique comme de la coexistence chez Picasso de manières de peindre réputées antagoniques. On en jugera ici à travers quelques thèmes qui déroulent leurs variations sur plusieurs années à partir de 1917 et où il n'est pas rare de voir une même référence visuelle nourrir conjointement l'expression figurative ou les recherches du cubisme synthétique.

PORTRAITS D'OLGA : LES FAUX-SEMBLANTS DE LA PEINTURE

Depuis qu'elle a été mise en relation avec un cliché pris dans l'atelier de Montrouge (fig. 190), la toile *Olga dans un fauteuil*[415] (fig. 189) semble un cas d'école pour l'étude du rapport photographie-peinture durant la période dite « néoclassique » de l'artiste. Nous en avons nous-même proposé récemment une analyse détaillée[416]. Le rapprochement du cliché, de plusieurs dessins préparatoires[417] (fig. 191 à 193) et de l'œuvre finale y conduisait à souligner la complexité du cheminement parcouru[418]. Alors que la photographie opposait l'arabesque raffinée de la pose au désordre des œuvres accrochées dans l'atelier, la toile peut être lue comme le collage d'une figure – femme épinglée tel un papillon – et d'une géométrie monochrome, l'étendue du tableau. Laissée inachevée[419], elle isole un motif femme/fauteuil, le reste de la composition se limitant à quelques balafres de peinture[420] sur le pan de toile vierge.

---

414. Cf. Picasso 1, p. 319.
415. Z III 83, MP 55.
416. Cf. Baldassari 3, p. 216-220.
417. Un crayon (fig. 193, Z III 82, Succ. 2189) centre la composition sur l'entrelacs de corolles et de feuillages recouvrant la chaise basse tandis que le corps du modèle est coupé par le bord de la feuille. Dans deux autres études (fig. 191 et 192, Z III 2 et Z III 3), Olga, assise sur le fauteuil de tapisserie, se montre dévêtue et les cheveux lâchés ; une superposition de cadres et de châssis forme un fond géométrique au nu.
418. Une analyse assez convergente est faite par Michael C. Fitzgerald, « Le dilemne des modernistes, le néoclassicisme et les portraits d'Olga Khokhlova », cf. Fitzgerald, p. 296-335.
419. Selon Carsten-Peter Warncke, cet « inachèvement » tiendrait à la difficulté de pousser plus avant la transcription du matériau visuel de la photographie sans que le portrait ne soit « noyé dans un conglomérat de formes ». Cf. Warncke, p. 288-289.
420. De même, la chaise que le cliché montrait ornée de larges franges se trouve réduite à la seule tapisserie.

L'effet est proche de celui des fragments de papiers peints, de cannage ou de faux bois qui formaient le « décor » des *papiers-collés* où leur excès ironique de mimétisme contribuait à défaire un peu plus le code de l'illusionnisme. Ici, le trompe-l'œil, le fac-similé pictural, vide en définitive la « ressemblance » qu'attestait la photographie. Qu'elles soient transcrites à l'identique ou quelque peu « corrigées » par le dessin, les déformations nées d'une vision monofocale perdent en effet leur valeur expressive propre et conduisent à une représentation entièrement aplatie. De même que le « néo-académisme » de Picasso ne va pas sans une volontaire ambiguïté, son usage de la photographie serait une façon d'importer, au cœur même de l'effusion picturale, l'automatisme, la distanciation technique d'un regard proprement « inhumain ». Il en résulte cette figure dont l'élégance formelle s'impose en définitive au détriment de toute *aura*. Il n'y a plus là ni la présence vive du modèle telle que le cliché en conservait trace, ni l'accomplissement de ce qu'aurait été un portrait véritablement « ingresque »[421]. Aussi proposons-nous d'y voir un manifeste équivoque où les leçons de la modernité s'unissent au classicisme[422], de même que peinture et photographie s'y contaminent l'une l'autre.

Il avait par ailleurs semblé justifié de mettre en relation ce tableau et l'une des toiles majeures annonçant la révolution cubiste, *La Femme à l'éventail* de 1908[423]. A une décennie d'intervalle et malgré les disparités stylistiques, ce tableau partage avec *Olga dans un fauteuil* une structure où la pose asymétrique du modèle se détache sur un aplat rectangulaire et dont l'épicentre est un éventail à demi déployé. En 1908, ce motif capte le regard tel un signe inaugural, matérialisant le programme prochain du cubisme[424]. Il préfigure la décomposition de la pyramide perspective en un feuilletage de plans superposés, semi-transparents, glissant les uns sur les autres, révélant et occultant leur sujet sous une diversité d'angles et de focales… A l'instar de l'éventail, l'espace du tableau sera ainsi comprimé par le rabattement en rafale de plans successifs. A l'issue de cette aventure picturale du cubisme, un éventail, symbole d'une étendue pliée et dépliée, se retrouve au foyer de la photographie d'Olga puis de son portrait peint. La représentation, dans une nouvelle forme d'équivoque antiperspective joue, cette fois-ci, d'un large déploiement des plans, comme autant de lames finement ramenées bord à bord pour former une seule et même surface[425].

Si ces analyses conservent leur portée, plusieurs compléments doivent aujourd'hui leur être ajoutés. S'agissant de *La Femme à l'éventail*, Pierre Daix, se fondant sur l'analyse des études préparatoires et, notamment, d'un dessin au crayon où il voit un visage de Fernande[426], souligne comment l'œuvre transforme radicalement un portrait « au naturel » en une « épure géométrique hiératique immémoriale »[427]. A l'occasion de l'exposition new-yorkaise *Picasso and Portraiture*, William Rubin a suggéré que le tableau se rattacherait à un portrait photographique du même modèle posant devant un drap noir[428],

421. La toile a notamment été rapprochée du portrait de *Madame Rivière* au Louvre, cf. Blunt, p. 187-191.
422. Kenneth Silver écrit ainsi : « L'intégration subtile d'un fond non peint qui, avec les traits de crayon et des coups de pinceau vert-de-gris des deux côtés, met en quelque sorte le personnage entre guillemets (faisant littéralement de la forme centrale une citation), permet à Picasso de se distancier d'Ingres, en passant par les toiles inachevées de Cézanne », cf. Silver, p. 127.
423. Z II* 67, D-R 168.
424. Le motif de l'éventail est récurrent au cours des années 1909-1910. Cf. notamment, *L'Eventail*, Paris, automne 1909, Z II* 229, D-R 315, et *Femme à l'éventail*, Cadaquès, été 1910 (achevé en 1918), Z II** 944, D-R 364. On peut aussi le rapporter au cyanotype présenté au chapitre I *supra*.
425. Dans son interprétation du cliché, Picasso a d'ailleurs choisi de rabattre cet éventail dans un plan presque parallèle à celui du panneau où il s'intègre à l'aplat décoratif de la tapisserie et du vêtement.
426. Carnet 15, 7 R, Z II** 700.
427. Cf. Daix 6, p. 272.
428. Cette photo due à Picasso appartient à une série de trois clichés pris dans le même décor (la série comprend par ailleurs un portrait de Picasso et le portrait d'homme faisant l'objet de la note suivante) qui a été publiée dans Baldassari 1, p. 106-110, fig. 78-81.

auquel il emprunterait notamment l'inégale hauteur des épaules. L'identification récente du jeune homme qui, sur un cliché jumeau de celui-ci, pose aux côtés d'un plâtre de la *Dame d'Elche*[429] pourrait, il est vrai, conduire à dater cette séquence photographique du premier semestre de 1908[430].

En ce qui concerne *Olga dans un fauteuil*, Quentin Laurens a tout récemment porté à notre connaissance l'existence dans le fonds de la galerie Louise Leiris de deux négatifs verre originaux issus de la prise de vue dans l'atelier de Montrouge[431]. Ces plaques sont d'un format inhabituel chez Picasso mais qui correspond à celui employé par Kahnweiler pour ses vues de tableaux[432]. Le fait aurait de quoi surprendre[433] s'il n'était éclairé par la correspondance entretenue début 1918 entre l'artiste et Gertrude Stein. Picasso y indique qu'il fait photographier certaines de ces œuvres récentes par Delétang qui était, avant-guerre, l'un des opérateurs attitrés du marchand[434] et annonce un envoi de plusieurs de ces clichés, parmi lesquels paraît bien se trouver le portrait *Olga dans un fauteuil*[435] (fig. 195). On pourrait donc supposer que Delétang ait également participé à la prise de vue d'Olga dans l'atelier de Montrouge, au moins en prêtant son matériel et en assurant le tirage des plaques, lesquelles auraient ultérieurement rejoint le fonds des négatifs remis à Kahnweiler.

Les plaques conservées à la galerie Louise Leiris nous indiquent cependant que cette séance a donné lieu à deux négatifs légèrement différents. Si l'un correspond au tirage resté dans les archives de l'artiste (fig. 190), le second où le point est fait sur le mur du fond et non sur le modèle, présente un cadrage

429. Nous avions, en 1994, fait l'hypothèse que ce modèle pouvait être le peintre Auguste Herbin, pensionnaire du Bateau-Lavoir entre 1906 et 1909. Il s'est cependant avéré qu'il s'agissait du sculpteur espagnol académique Ignacio Pinazo Martínez (1883-1970). Fils du peintre valencien Pinazo Camarlench, celui-ci avait été chargé de réaliser une copie de la *Dame d'Elche* destinée à remplacer, au musée archéologique de Madrid, l'original acquis par le Louvre dès sa découverte en 1897. Le comité consultatif des musées nationaux accepta, le 23 juillet 1908, un « moulage d'une copie de la *Dame d'Elche* ». Les donateurs étaient Ramon Mélida, directeur du musée de Madrid, et Pinazo Martínez dont l'adresse à Paris était « 13 rue Ravignan », c'est-à-dire au Bateau-Lavoir. Il y a donc tout lieu de penser que le plâtre figurant sur le cliché au drap noir est ce « moulage » avant sa remise au Louvre. Sur proposition du conservateur des antiquités orientales, M. Pottier, il fut décidé de placer le buste « dans la salle des antiquités espagnoles trop écartée pour que l'original du buste d'Elche y puisse être avantageusement présentée ». Après sa donation, ce « moulage » fut ainsi exposé dans la salle où les reliefs d'Osuna et la statuaire du Cerro étaient présentés depuis 1906.

430. Plus précisément, entre le retour de Fernande rue Ravignan (fin novembre 1907) et le départ de Picasso pour La Rue-des-Bois (août 1908). On remarquera que la pointe sèche de 1906, *Portrait de Fernande* (Z XXII 332, Baer I, 18 bis), que le récent catalogue *Picasso et le portrait* rapproche de ce cliché de Fernande (p. 256 de l'édition française), procède en réalité d'un autre portrait photographique datant, lui, de 1905 (cf. Rubin 6, p. 56).

431. Lettre à l'auteur en date du 25 octobre 1996.

432. Plaques d'environ 17 x 23 cm. Quatre vues de tableaux étaient fréquemment faites sur la même plaque. Picasso utilisait, pour sa part, des négatifs le plus souvent de format 9 x 12 cm.

433. Citoyen allemand, le marchand reste exilé en Suisse jusqu'en février 1920.

434. Lettre du 26 avril 1918 (Montrouge). Un mot de Delétang à Picasso, en date du 12 avril, confirmait sa venue chez l'artiste « pour ce que vous avez à faire ». Pour la période antérieure, les lettres de Picasso à Kahnweiler en date du 11 avril 1913 et du 21 juillet 1914 font explicitement référence à Delétang à propos de clichés des peintures de l'artiste.

435. Cet envoi comporte également une somme d'argent destiné à l'achat de deux statues « nègres » et le don d'une esquisse à l'aquarelle pour la *Guitare cristal* (1918, Z III 141). La destinataire répond le 9 mai, « J'aime bien les deux Harlequins mais surtout le portrait ». (Les archives Picasso conservent en effet deux épreuves sur papier d'un format approchant celui des plaques Kahnweiler, l'une figurant *Olga dans un fauteuil*, l'autre *Arlequin au violon (Si tu veux)*, non encadrés et présentés sur le même chevalet. A ces deux clichés a pu s'ajouter une autre photographie, prise à Barcelone par Joan Vidal Ventosa, de l'*Arlequin* de 1917, Z III 28, MPP 10.941. Bien que, en réalité, l'envoi précède de plusieurs mois le mariage de Picasso, l'écrivain l'évoquera en ces termes : « Picasso venait d'écrire à Gertrude Stein pour lui annoncer son mariage avec une jeune fille, une vraie jeune fille, et il avait envoyé à Gertrude Stein comme cadeau de mariage une charmante petite toile et la photographie d'un portrait de sa femme », cf. Stein 1, p. 196.

légèrement plus large[436]. Il permet de mieux distinguer les œuvres accrochées à l'arrière-plan. On observe ainsi, dans l'angle droit de cette photographie inédite, une forme quadrangulaire de papier (ou de toile) dont seule l'extrémité était jusqu'ici visible. Sa découpe correspond très exactement au masque géométrique que porte le personnage de la toile *Arlequin au violon (Si tu veux)* (fig. 194), signée par Picasso « Montrouge, 1918 ». Le tableau posé sur le chevalet à gauche du cliché peut par ailleurs être identifié, sans hésitation, comme *Table, guitare, bouteille*[437], œuvre présentée ici le haut en bas par rapport au sens de lecture donné par la signature. Enfin, les natures mortes avec fruits accrochées derrière Olga avaient été rapprochées de dessins de 1916-1917[438], mais pourraient également l'être d'œuvres postérieures comme les toiles *Compotier avec fruits*[439] et *Nature morte sur la commode*[440] ou un crayon signé de 1918[441] dans lequel Quentin Laurens reconnaît « sans aucun doute » l'esquisse sur laquelle se détache la tête du modèle. Tous ces éléments convergent pour dater la prise du cliché aussi bien que la toile qui en est issue des premiers mois de 1918[442] plutôt que de la fin de 1917, comme cela était admis jusqu'ici[443]. Ce réajustement permettrait d'associer à l'élaboration de la toile quelques études réputées trop tardives[444]. Les informations livrées par le cliché éclairent par ailleurs de manière nouvelle la genèse de plusieurs autres œuvres. Il faut ainsi admettre que *Table, guitare, bouteille*, terminée en 1919, était en chantier dès le début de l'année précédente et que sa version initiale, telle que la photographie la montre, présentait un jeu d'aplats simplifiés plus proche des recherches de 1917. Quant à l'*Arlequin au violon*, on sait désormais qu'un masque découpé soit y fut directement collé soit servit de gabarit à l'exécution de ce motif[445].

Situé aux premiers mois de 1918, le portrait d'Olga deviendrait comme l'emblème d'une relation que le mariage doit prochainement consacrer. Le cliché met en scène un dialogue silencieux avec le corps « africain » du *Nu aux bras levés* de 1908 et le couple de fétiches Baga dont Picasso n'ignorait pas

436. Ce négatif a, de plus, été, sans doute accidentellement, « solarisé », ce qui se traduit par une inversion partielle des valeurs dans le tirage positif.
437. Z III 437.
438. Les dessins Z II 890 à 892, datés de 1916, ou Z III 89, daté de 1917.
439. Z III 154, daté de Paris, 1918.
440. Z III 443, MP 63.
441. Z III 152.
442. Dans sa lettre du 26 avril 1918, Picasso précise qu'il est « en train de travailler » au portrait photographié par Delétang. Le cliché conservé au musée Picasso, s'il est bien le même que celui envoyé à Gertrude Stein, indiquerait cependant que le tableau fut laissé en l'état.
443. Le catalogue Zervos datant *Olga dans un fauteuil* de 1917, le rapprochement avec le cliché avait conduit à situer son exécution dès après l'emménagement de la jeune femme à Montrouge qui eut lieu à l'automne de cette année-là. La date de 1917 correspond à celle donnée lors de l'exposition à la galerie Georges Petit en 1932 ainsi qu'à une correction manuscrite apportée par l'artiste sur un exemplaire de l'ouvrage de Jean Cassou (cf. Cassou, p. 101). L'œuvre avait en revanche été datée de 1919 par Maurice Raynal (cf. Raynal, p. 55) comme par Elie Faure (cf. Faure, p. 25). Gertrude Stein la situait pour sa part en 1918 (cf. Stein 2, p. 113). C'est par erreur qu'elle indique que la toile aurait reçu le prix de la fondation Carnegie en 1930, cette récompense étant allée à un autre portrait (1923, Z V 53).
444. Notamment *Portrait d'Olga* (Z III 125, Succ. 12192), daté du 27 janvier 1918, et *Olga Picasso assise* (Succ. 2286, pas dans Z) où le modèle pose dans la même robe sur la chauffeuse de tapisserie. L'une des études (fig. 192, Z III 2), traditionnellement datée de 1917 par cohérence avec le tableau, porte en vis-à-vis d'une esquisse figurant Olga nue un diagramme symétrique qui pourrait être une toute première esquisse des motifs pour un paravent de l'hiver 1918-1919 (fig. 198, Z III 266 et 267).
445. Toute la zone environnant le visage de l'Arlequin a fait l'objet d'importants repeints, cf. Henning, p. 3-11. William Robinson, conservateur pour l'art moderne au Cleveland Museum of Art nous a, en revanche, indiqué que la partie de la toile correspondant au masque était d'une matière exceptionnellement plate et lisse, et, l'œuvre étant alors prêtée au musée Picasso de Barcelone pour l'exposition « Picasso et le théâtre », nous a fait part de l'opinion d'Elena Bolivar Cordon selon laquelle cette texture inhabituelle résulterait de l'emploi d'un couteau à peindre « bien qu'il [Picasso] puisse avoir aussi ajouté quelque chose à sa peinture ». Ce point ne pourra être définitivement éclairci qu'après un examen technique.

qu'ils symbolisent la fécondité[446]. L'ouverture expansive de l'éventail ou la floraison des ramages – calices, fleurs, vrilles – qui de la tapisserie gagne la robe, donneraient autant d'autres signes de la même promesse. Le camaïeu photographique laisse ignorer ce que cette parade nuptiale comporte de carnavalesque. Achetée sur les Ramblas l'automne précédent, la robe est en réalité d'un tissu ordinaire et le rose des broderies y fait un écho strident à l'éventail multicolore et aux corolles turgescentes de la chauffeuse[447]. La description vétilleuse que, dans une tonalité adoucie, la toile donne de tels motifs se propage par contiguïté au rendu de la chair et du visage. Comme ces insectes qui exagèrent leur ressemblance avec l'environnement jusqu'à se mettre en danger, le vivant se trouve ainsi pris au piège d'un telle mise en scène. Et, par un semblable excès « hypertélique »[448], la toile elle-même, à trop mimer l'illusionnisme photographique, paraîtrait un canevas pour tapisserie laissé à demi terminé. Gertrude Stein nous révèle d'ailleurs que, dans un très ironique mouvement de l'inconscient, la photo de ce portrait s'associe directement au projet qui mena Alice Toklas à broder au petit point une série de « vieilles chaises » sur des motifs cubistes de Picasso[449]…

Olga dans un fauteuil mérite par ailleurs d'être mise en regard de la toile *Femme assise dans un fauteuil*[450] (fig. 197), signée et datée de 1920 mais dont le catalogue Zervos précise qu'elle fut commencée à Montrouge en 1917. D'un format semblable[451], celle-ci s'impose en effet comme son double cubiste. Sa gamme de tons où tranchent le rouge brun, le vert et le rose n'est pas sans évoquer les couleurs du portrait naturaliste, ici cloisonnées par la construction en aplats. Le vert rayé de sombre de la robe y transpose la teinte du papier peint à bandes qui forme le fond du cliché[452]. La géométrie des œuvres et des châssis, dont la toile classicisante ne conserve que l'angle d'un cadre, dicte l'ensemble des lignes constructives orthogonales de son pendant cubiste. Dans ce dernier, le feuillet sur lequel se détache la tête du modèle photographié trouve son équivalent en valeurs inversées, clair sur sombre[453]. Si elle fait abstraction des ramages du siège, de la robe, de l'éventail, si précisément transcrits par *Olga dans un fauteuil*, cette même version décrit en revanche avec précision le drapé oblique qui forme ceinture. Elle semble également réduire le visage du modèle au schéma formel suggéré par les idoles Baga : protubérance triangulaire de l'œil, arc constructif liant le crâne et l'arête du nez. Le vis-à-vis didactique de ces deux toiles jumelles révélerait ainsi, sous des modalités antagoniques, une stratégie commune d'interprétation de la donne photographique. Moins littérale dans le rendu de détail, la version cubisante serait paradoxalement plus proche du cliché dans la manière dont le jeu des angles et des courbes simule optiquement la superposition de plans. Pour autant, les deux tableaux, à l'opposé d'une photographie qui livre sans hiérarchie son continuum visuel, se focalisent semblablement sur le seul sujet : la femme assise.

446. Les archives Picasso conservent une carte postale du début du siècle figurant un rituel de fécondité nimba, tribu Baga. L'artiste possédait un masque (MP 3637) du même type que celui qui y figure portant une vaste jupe de raphia. Selon William Rubin, les deux statues, originaires de Guinée, visibles dans l'atelier de Montrouge, auraient été acquises par Picasso dès 1907. L'auteur les met notamment en rapport avec deux dessins intitulés *Tête* (l'un de face, l'autre de profil) représentatifs du style « primitif » de cette même année. Cf. William Rubin, « Picasso », Rubin 2, vol. 1, p. 275-282.

447. Généreusement offert par Mme Christine Picasso, ce vêtement est aujourd'hui conservé à l'hôtel Salé.

448. Cf. Caillois, p. 5-10 ; la note 64, p. 10, fait référence à l'effet « hypertélique » du mimétisme animal.

449. Cf. Stein 1, p. 196-197. La première de ces tapisseries fut en effet brodée sur un motif emprunté à l'esquisse de la *Guitare cristal* reçue en même temps que le cliché d'*Olga dans un fauteuil*. D'autres suivirent…

450. Z IV 14. Un dessin daté du 12 janvier 1920 (Z IV 11) paraît se rapporter à la phase finale d'exécution du tableau.

451. 130,5 x 89,5 cm pour 130 x 88,8.

452. Cette teinte se retrouve dans l'ombre verdâtre qui cerne le buste d'*Olga dans un fauteuil*. On la retrouve également dans une gouache *Olga* (1917-1918, Succ. 12180, pas dans Z) où le modèle vêtu de rouge se détache sur le mur vert portant des études accrochées. Ce motif à rayure a pu faire voir à tort la toile cubisante comme une « Femme au tablier » (cf. Spies 1, p. 207).

453. Le dessin préparatoire (Z IV 11) présente en revanche un contraste identique à celui du cliché.

Fig. 189
Olga dans un fauteuil
Montrouge, [printemps 1918]
Huile sur toile
130 x 88,8 cm
Paris, musée Picasso

Fig. 190
[Pablo Picasso, Emile Delétang]
Olga Khokhlova dans l'atelier
de Montrouge
Montrouge, [printemps 1918]
Epreuve gélatino-argentique
22,5 x 16,5 cm
Paris, archives Picasso

Fig. 191
Femme dans un fauteuil
Paris, [1917-1918]
Crayon sur papier
26 x 19 cm
Collection particulière

Fig. 192
Etudes
Paris, [1917-1918]
Crayon sur papier
27 x 39,3 cm
Collection particulière

Fig. 193
Olga Khokhlova. Paris, [1917-1918]. Crayon sur papier.
27 x 19,5 cm. Collection particulière

Fig. 194
[Emile Delétang]
« *Arlequin (Si tu veux)* » *dans l'atelier*
[Montrouge-Paris], 1918
Epreuve gélatino-argentique
22,5 x 16,5 cm
Paris, archives Picasso

Fig. 195
[Emile Delétang]
« *Olga dans un fauteuil* »
dans l'atelier
[Montrouge-Paris], 1918
Epreuve gélatino-argentique
22,5 x 16,5 cm
Paris, archives Picasso

Fig. 196
L'atelier
Paris, 23, rue de la Boétie,
[1919]
Huile sur toile
100 x 130 cm
Collection particulière

Fig. 197
Femme assise dans un fauteuil
Paris, [1918-1920]
Huile sur toile
130 x 89 cm
Collection particulière

Fig. 198, 199 et 200
Olga Picasso lisant
Olga Picasso allongée
Olga Picasso au piano
Fontainebleau, été 1921
Epreuves
gélatino-argentique
10,6 x 6,2 cm
Paris, archives Picasso

Fig. 201
Olga Picasso au piano (détail)
Fontainebleau, été 1921

Fig. 202
Etudes
[Fontainebleau-Paris,
1921-1922]
Huile sur toile
100 x 80 cm
Paris, musée Picasso

Le cycle connaît cependant d'autres développements. *L'Atelier* (fig.196), un tableau cubisant de 1919[454], contemporain de la longue élaboration de *Femme assise dans un fauteuil*, transporte ainsi rue La Boétie, devant une fenêtre donnant sur le dôme de Saint-Augustin, les éléments essentiels de la photo de début 1918 : éventail, chaise basse à franges et même le petit meuble classeur visible à la droite du cliché. On y voit aussi le profil d'un guéridon tel celui qui ordonne *Table, guitare, bouteille.* En 1921, *Olga dans un fauteuil* figurera au centre d'un des trois clichés où Picasso semble vouloir dresser un état des lieux de sa nouvelle installation à Fontainebleau. Peinture privée[455], la toile est placée au-dessus d'un lit où celle qui en fut le modèle est allongée (fig. 199). De part et d'autre, deux masques de Côte-d'Ivoire[456] et un accrochage d'œuvres plus anciennes dont le peintre ne se sépara jamais et qui appartiennent à ce titre au fonds du musée Picasso. Une seconde vue associe de nouveau la jeune femme et un ensemble hétéroclite de peintures de tous formats (fig. 198). Olga, assise, lit devant un paravent décoré par l'artiste. Le coin du lit indique que le photographe, placé au centre de la pièce, a opéré une rotation à 90° pour découvrir ce côté gauche de la pièce. Se tournant en contrechamp, il montre à nouveau son épouse, au piano, dans une pose qui évoque certains dessins de la rue La Boétie (fig. 200). La découpe du profil fait écho au crayon encadré posé à sa gauche sur le piano, le premier que Picasso fit d'elle lors de leur rencontre à Rome en 1917[457]. Sur la cheminée, un autre petit portrait[458], en profil droit celui-ci, donne comme la réplique en miroir du visage de la jeune femme. Au centre du panneau, celle-ci est encore présente dans la grande toile *Olga lisant*, peinte l'année précédente lorsqu'elle était enceinte de Paulo. A ces multiples échos entre œuvre et modèle s'ajoutent une photographie de Picasso de profil, deux marionnettes de Commedia dell'arte évoquant le ballet *Pulcinella* de 1919, trois petites natures mortes cubistes, un masque Dan[459]. Le dispositif systématique associant présence vivante et accrochage bidimensionnel des dessins et des peintures pourrait être à la source d'une des œuvres les plus surprenantes de cette période, la toile *Etudes*[460] qu'une l'analyse stylistique de ses composantes ferait désormais dater de 1922[461] (fig. 202). Comme le cliché d'Olga au piano, cet arrangement feint d'œuvres cubistes et néoclassiques prend pour centre optique un profil de la jeune femme. Ainsi que dans les grands pastels en ronde bosse de cet été 1921, le visage s'hellénise, l'arête de l'œil se noie d'ombre, la chevelure se dénoue. Les natures mortes encadrées scandant la surface du tableau font écho à celles visibles sur la photographie, la construction des deux principales d'entre elles pouvant aussi être lue comme une variation plastique sur le livre ouvert d'*Olga lisant*. De même, les études de mains se réfèrent autant à ce fusain qu'à la main droite d'Olga posée sur les touches du piano. Quant à la composition située en bas à gauche du tableau, elle synthétiserait les marionnettes de Polichinelle dans un contour biomorphe blanc surligné de noir[462]. Son motif de triangles se poursuit dans le maillage des verres taillés en diamant ou des revers de carte à jouer qui, d'une étude à l'autre, semble mettre en charade l'habit d'Arlequin. Doublet de la

---

454. Succ. 12210, pas dans Z.

455. La toile apparaît ici aussi mal tendue sur son châssis que dans le cliché pris par Delétang début 1918. Le fait a de quoi étonner si *Olga dans un fauteuil* est bien le *Portrait de femme à l'éventail* qui figura, sous le n° 23, à l'exposition de la galerie Paul Rosenberg du printemps 1921 et fut commenté par Wilhelm Uhde : « Je me trouvais en présence d'un grand portrait dans ce qu'on appelle le "style Ingres" ; le convenu de l'attitude, une sobriété voulue, semblaient y réprimer un pathétique secret ; le baroque ne transparaissait un peu que dans la ligne, dans l'agencement des masses principales », cf. Uhde, p. 55.

456. Masques de visage Kpélié Senoufo.

457. *Olga, profil gauche*, Succ. 2186, pas dans Z.

458. 1917, *Tête de femme, Olga*, Succ. 12176, pas dans Z.

459. Côte-d'Ivoire.

460. Z IV 226, MP 65.

461. Jean Sutherland Boggs, notice « Etudes », cf. Sutherland Boggs et Bernadac, p. 192.

462. *Id.*

Danse villageoise[463], l'étude située en haut de la toile évoque les divers couples, communiants, fiancés, amoureux, qui, nous le verrons plus loin, symbolisent alors la relation Olga/Picasso. Sur le cliché comme pour la toile, une trame orthogonale gouverne l'inscription plane de tous ces objets rectangulaires[464]. Et le fond sur lequel ceux-ci se détachent semblerait emprunté à l'ébénisterie sombre du piano, telle une caisse de résonance où les œuvres se juxtaposent, renvoient l'une à l'autre en même temps qu'elles résument dans une fiction emblématique tout l'œuvre en cours. Symétriquement disposés de chaque côté de la toile, deux natures mortes à l'as de trèfle, encadrées de rouge et de bleu, se donnent comme le signe plastique de quelque exorcisme.

MISES EN SCÈNE : PICASSO DANS LE RÔLE D'ARLEQUIN

Il est généralement admis que le personnage d'Arlequin, récurrent dans l'œuvre de Picasso dès la « période bleue », y est investi d'une vive projection identitaire[465]. Cette figure fait retour avec insistance à partir de 1915. Au-delà de sa dimension subjective, elle s'impose sans nul doute par la force de ses sollicitations proprement picturales. Car le costume d'Arlequin avec son *pattern* losangé, ses couleurs bigarrées, résumerait à lui seul toutes les modalités de la peinture. Il est à la fois le contour, le contraste des valeurs, l'infinie polychromie. Ceci est bien suggéré par la toile *Arlequin au violon (Si tu veux)* (fig. 194) où la même trame est successivement déclinée en un camaïeu de points gris, dans une subtile opposition de bleu pâle et de tilleul, enfin dans un sombre contraste rouge et noir directement venu des arlequins de Cézanne[466]. Bien plus, dans le défi que le cubisme aura lancé à la tradition illusionniste, cette vêture colorée, la grille géométrique dont elle recouvre le corps du sujet, cette seconde peau à la fois pelliculaire et volumique, est comme la métaphore de tous les paradoxes de l'étendue picturale. On penserait à cet extraordinaire propos de Cézanne rapporté par Joachim Gasquet : « Un motif, voyez-vous, c'est ça (…) Eh ! oui… (Il refait son geste, écarte ses mains, les dix doigts ouverts, les approche lentement, lentement puis les joint, les serre, les crispe, les fait pénétrer l'un dans l'autre). Voilà ce qu'il faut atteindre… (…) Il ne faut pas qu'il y ait une seule maille trop lâche, un trou par où l'émotion, la lumière, la vérité s'échappent »[467]. Il a ainsi été possible d'écrire que la peinture du Maître d'Aix avait pour clé « la prédominance de combinaisons formelles, tout particulièrement chromatiques, sur les corps individualisés représentés »[468]. Semblablement, les arlequins de Picasso seraient le support de « combinaisons formelles » au moins autant que les doubles du peintre. En plusieurs occasions, c'est cependant à la photographie qu'Arlequin-Picasso emprunte les principes de ce traitement visuel.

Le personnage donne son titre à une importante toile de novembre 1915[469] (fig. 205). Son « identité n'est marquée que par le jeu des losanges colorés sur la géométrisation totale du corps »[470] et le tableau

---

463. 1922, Z XXX 270, MP 73. Cf. également le dessin de 1919, *Danse,* Z XXIX 440, MP 867.

464. Les horizontales du piano auxquelles se superpose l'espace plan de l'accrochage, les verticales du dossier prolongées par les marionnettes et les bords d'*Olga lisant*, dessinent sur le cliché une grille quadrillée symétrique directement comparable à celle organisant la toile. Les deux images comportent également la même orientation de droite à gauche dictée par les profils d'Olga, le geste des mains, le profil des portraits encadrés sur le piano ou de la danseuse dans l'étude de couple.

465. Christian Zervos a vivement critiqué « les conclusions psychologiques plus ou moins hasardeuses » de C. G. Jung sur une identification « infernale » de Picasso à Arlequin, cf. Zervos 1, p. 352-354. Sous une forme plus classiquement iconologique, ce thème a été repris notamment par Theodore Reff, cf. Reff 3.

466. *Mardi Gras*, 1888, et *Arlequin*, 1888-1890, *Cézanne*, Réunion des musées nationaux, 1996, p. 63 et 317. Picasso avait vu *Mardi Gras* chez Vollard avant son achat par Chtchoukine.

467. Cf. Gasquet, p. 130.

468. Cf. Novotny, p. 12.

469. Z II** 555, D-R 844.

470. Cf. Daix 5, p. 41.

Fig. 203
Homme accoudé sur une table
Paris, 1916
Huile sur toile
200 x 132 cm
Collection particulière

Fig. 204
*Autoportrait dans l'atelier
du 5ᵇⁱˢ, rue Schoelcher*
Paris, 1915-1916
Epreuve gélatino-argentique
18,8 x 11,6 cm
Collection particulière

Fig. 205
Arlequin
Paris, fin 1915
Huile sur toile
183,5 x 105,1 cm
New York, The Museum
of Modern Art,
acquisition Lillie P. Bliss

Fig. 206
Edition Lacoste, Madrid
Paysans de Biscaye
Collotypie (carte postale)
Paris, archives Picasso

Fig. 207
Pierrot et Arlequin
Eté 1920
Gouache et crayon sur papier
25,7 x 19,7 cm
Washington,
The National Gallery of Art,
don Mrs. Gilbert W. Chapman

évoque aussi bien un peintre à son chevalet. Selon nous, il procède assez directement de l'un des auto-portraits photographiques pris dans l'atelier de la rue Schoelcher, où Picasso exhibe un pantalon clair orné d'une large pièce sombre (fig. 204). Sur le cliché, cet effet bicolore, la casquette à petits carreaux, le jersey de la veste qui boudine sur les bras font un écho visuel direct au vocabulaire formel de la toile *Homme accoudé sur une table*[471] (fig. 203) accrochée à l'arrière-plan : aplats contrastés, zonage pointillé, motifs onduleux des pieds de bois. De cette image, l'*Arlequin* reprendrait la position axiale du peintre placé au premier plan ainsi que la rencontre entre la tête et deux plages égales de couleurs opposées. Le costume aux allures de déguisement est sans mal transposé dans le motif emblématique du personnage. L'architecture des toiles accrochées au mur se retrouve également dans la composition d'ensemble du tableau. Le rectangle blanc où se dessinerait en réserve un profil de l'artiste[472] confirmerait le caractère identitaire d'une peinture née d'un autoportrait. Comme dans une traversée du miroir, se seraient ainsi engendrées mutuellement des notations tour à tour photographiques et picturales d'*Homme accoudé sur une table*, du cliché dans l'atelier, de l'*Arlequin* de 1915.

Une série de gouaches de l'été 1920, typique de ce cubisme « décoratif » où le jeu des plans est strictement bidimensionnel, offre une variation sur le thème de *Pierrot et Arlequin*[473] (fig. 207). Leur source commune pourrait être une carte postale espagnole figurant deux paysans de Biscaye portant des sortes d'étoles masculines au tissage géométrique vivement contrasté (fig. 206). La frontalité martiale des deux hommes et ce riche jeu de *pattern* optique portaient à associer l'image aux recherches de l'été 1920. Un indice confirme cette parenté : la main d'un des arlequins[474] transcrit littéralement celle du paysan de gauche sur le cliché. Un lien plus profond tiendrait cependant à un système d'interprétation négatif/positif qui mettrait à plat les volumes par une dissociation linéaire des contours partageant hautes lumières et ombres. Un tel cubisme « planaire » était préparé par certains exercices de papiers découpés et emboîtés combinant planéité et suggestion du volume[475]. Picasso, pour qui « la couleur n'est efficace que dans la mesure où elle représente un des éléments du jeu constructif »[476], aurait ainsi réduit l'image d'un vêtement aux insolites caractéristiques formelles à son juste *patron*. Le peintre conservait également d'autres cartes régionales présentant des couples de Caceres, Castellon ou Ciudad Real. Posant devant une toile peinte d'un ciel et de motifs floraux, éclairés zénithalement, les modèles se détachent sur ce non-espace, la seule ombre étant celle que les chapeaux masculins à large bord portent sur le haut des visages (fig. 209). Ce motif suggère fortement le loup dont Picasso fera souvent le signe d'Arlequin. Ainsi *Arlequin jouant de la guitare*[477] (fig. 208), toile commencée à l'été 1914, aurait été achevé tardivement par l'adjonction de cet attribut[478]. Le motif s'inspirerait aussi des codes propres à un autre théâtre : le kabuki.

---

471. Z II** 550, D-R 889.

472. Cf. Varnedoe, p. 145 et note 43, p. 177. Dans notre interprétation, le rectangle clair emprunte lui-même son schéma visuel à la toile *Guitare et clarinette sur une cheminée* (Z II** 540, D-R 812) telle qu'elle apparaît, en cours d'élaboration, à la droite du cliché.

473. On considérera plus particulièrement ici les gouaches Z IV 68, 69, 71 et 73.

474. Main posée sur l'épaule droite du Pierrot dans la gouache Z IV 69.

475. Ainsi *Homme attablé* (1914, MP 399) est constitué de deux feuilles découpées suivant un dessin à la mine de plomb et glissées l'une dans l'autre.

476. Cf. Picasso 2, p. 4.

477. Z II** 518, D-R 762.

478. La version initiale du tableau est visible dans l'autoportrait photographique en caleçon pris en 1915-1916 (cf. Baldassari 1, ill. 51). Le catalogue Daix-Rosselet, notice 762, souligne que « le visage n'a subi que la transformation du masque, jointe à celle du chapeau qui ont fait du joueur de guitare un arlequin ».

479. Z VI 1244, D-R 761. L'artiste aurait confié à Douglas Cooper que ce dessin se serait inspiré d'un consommateur dans un café d'Avignon, cf. Tinterow, p. 128.

En témoignent l'aquarelle cubiste de l'été 1914 *Homme jouant de la guitare*[479] (fig. 210) et le dessin *Homme masqué jouant de la guitare*[480]. Leur géométrie expressive se serait nourrie des figures d'acteurs présentées par des cartes postales japonaises (fig. 211 et 212). Le maquillage de scène au masque grimaçant, la richesse des costumes et des accessoires, les coiffes et les emmanchements complexes fournissent nombre d'éléments propices à l'interprétation plastique[481]. La pose, la coiffure, certains détails de vêtements sont directement repris du joueur d'instruments à corde Chibanosuke, le visage transcrivant plutôt celui du vieil homme nommé Senow. La figure spéculaire des arlequins de 1920 peut ainsi fondre le déguisement photographique de l'artiste-peintre rue Schoelcher, le costume cérémoniel de paysans espagnols ou le rituel formaliste du théâtre japonais.

Une séquence photographique serait également à la source des deux versions des *Trois musiciens*[482] peintes en 1921 où figure à nouveau Arlequin (fig. 217 et 218) : un ensemble de quatre négatifs datant du séjour de Picasso à Rome en 1917[483]. L'un des clichés de cette série présente plein cadre la toile *Arlequin et femme au collier*[484] (fig. 213), sur son chevalet dans une pièce qui servait d'atelier à l'artiste. Deux autres prennent ce tableau comme arrière-plan à la composition triangulaire que forment trois modèles : Picasso, debout au centre, Stravinsky, à gauche, et Lord Berners, à droite, tous deux assis (fig. 214 et 215). Malgré le flou dû à la mise au point, on peut lire dans cette séquence un projet aussi concerté que ceux auxquels obéissaient l'autoportrait devant la *Construction au joueur de guitare* ou, antérieurement, la prise de vue des amis de l'artiste devant *Les Demoiselles d'Avignon* et *Trois femmes*[485]. La pose tend ici à confronter la volumétrie des corps au fond plan du tableau. Le « mirage » ainsi provoqué entre peinture et réalité engendre un objet hétérogène mais optiquement cohérent. Le groupe forme un complexe premier plan devant le piège géométrique d'un fond bidimensionnel où l'œil ne peut s'empêcher de lire le jeu des angles et des valeurs comme dépeignant un espace virtuel.

Avec la préparation du ballet *Parade*, Picasso affronte précisément l'illusion scénique, équation perceptive de corps réels évoluant devant une profondeur fictive. La séquence photographique se conclut d'ailleurs par un dernier cliché (fig. 216) qui présente la maquette du décor de *Parade* dont il s'agirait de vérifier l'efficacité. Sa participation au ballet donne en effet à Picasso l'occasion de poser comme *à l'envers* les questions soulevées par le cubisme. Celui-ci avait substitué la matérialité de la surface picturale à la représentation perspective de l'espace. Réduisant à son minimum la profondeur visuelle du tableau, il lui avait intégré la présence de l'objet réel ou de son fac-similé. Au contraire, le théâtre se doit en principe d'entretenir par le simulacre la sensation d'un espace se développant pleinement dans la troisième dimension. Ce défi du trompe-l'œil offre au peintre la scène elle-même pour démontrer, en vraie grandeur, qu'un autre jeu est possible avec la perception. Le heurt stylistique du rideau de scène – version faussement naïve de la représentation classique[486] –, du décor – cubiste synthétique – et des costumes – volumétrie constructiviste – restitue déjà les étapes d'une initiation à la vision contemporaine. Une vision qui n'est

480. Z XXIX 126.

481. Cette même source pourrait également avoir été sollicitée dans les recherches pour *Parade*, notamment avec les *Études de maquillage pour le prestidigitateur chinois* (MP 1576-1577) qui évoquent les acteurs Takatori et Saegi Komaro et l'étude de costume pour ce même personnage (MP 1578), où l'on retrouverait le motif en éventail de la tunique de Takatoki.

482. Fontainebleau, été 1921, Z IV 332, Philadelphia Museum of Art, Z IV 331, Museum of Modern Art, New York. Les toiles ont été rapprochées par Peter Read d'un cliché de trois acteurs en costume pris lors de la représentation des *Mamelles de Tirésias* le 24 juin 1917, cf. Read, p. 156 et 160.

483. Sans doute mis en scène par Picasso, ces clichés pourraient avoir été pris par lui au déclencheur automatique.

484. Z III 23. La composition générale est en place mais la toile n'a encore reçu ni le traitement en pointillé du cadre et de certains motifs, ni les derniers détails dans le placement des noirs.

485. Cf. Baldassari 1, p. 92-98, fig. 68 à 72, et *supra,* chapitre II, p. 114 à 117.

486. Sur une source iconographique du rideau de scène, cf. Spies 3, p. 679-688.

Fig. 208
Arlequin jouant de la guitare
Avignon 1914 - Paris, 1918
Huile sur toile
97 x 76 cm
Collection particulière

Fig 209
Edition Lacoste, Madrid
Couple de Ciudad Real
Phototypie (carte postale)
Paris, archives Picasso

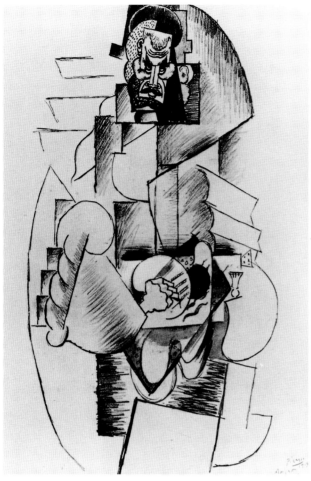

Fig 210
*Homme au chapeau jouant
de la guitare*
Avignon, été 1914
Aquarelle et mine de plomb
sur papier
49,7 x 38 cm
Collection particulière

Fig. 211
Anonyme
Acteurs de théâtre japonais
Carte postale
Paris, archives Picasso

Fig. 212
Anonyme
Acteurs de théâtre japonais
Carte postale
Paris, archives Picasso

Fig. 213
« *Arlequin et femme au collier* »
en cours d'exécution
Rome, 1917
Epreuve gélatino-argentique
30 x 23,5 cm
Paris, archives Picasso

Fig. 214
*Igor Stravinsky, Pablo Picasso
et Gerald Thyrwitt (Lord Berners)*
Rome, 1917
Epreuve gélatino-argentique
24 x 29,8 cm
Paris, archives Picasso

Fig. 215
*Igor Stravinsky, Pablo Picasso
et Gerald Thyrwitt (Lord Berners)*
Rome, 1917

Fig. 216
Maquette du décor pour « Parade »
Rome, 1917
Epreuve gélatino-argentique
13 x 18 cm
Paris, archives Picasso

Fig. 217
Les Trois musiciens
Fontainebleau, 1921
Huile sur toile
200,7 x 222,9 cm
New York,
The Museum
of Modern Art,
Mrs. Simon
Guggenheim Fund

Fig. 218
Les Trois musiciens
Fontainebleau, 1921
Huile sur toile
203 x 188 cm
Philadelphie,
The Philadelphia Museum
of Art, A. E. Galatin
Collection

Fig. 219
« Les Trois musiciens »
en cours d'exécution
Fontainebleau,
1ᵉʳ septembre 1921
Epreuve gélatino-argentique
6,6 x 10,7 cm
Paris, archives Picasso

Fig. 220
Olga et « Les Trois musiciens »
en cours d'exécution
Fontainebleau, automne 1921
Epreuve gélatino-argentique
11,5 x 7 cm
Paris, archives Picasso

Fig. 221
Olga Picasso dans l'atelier
de Fontainebleau
Automne 1921
Epreuve gélatino-argentique

plus nécessairement unique, monocentrée, perspective. Théâtre et peinture partageaient depuis la Renaissance un système hégémonique de représentation auquel seule l'imagerie populaire sut partiellement se soustraire. Tout en obéissant aux lois physiques de la *camera obscura*, la photographie introduisait plus d'une perturbation dans le modèle régulateur de l'espace classique. C'est cependant au cœur même de celui-ci, sur la scène du théâtre vitruvien, que Picasso engage l'épreuve de force. Devant la maquette du décor, on observe qu'aucune des fuyantes ou des verticales ne se soumet à la perspective. Là où les plans devraient s'amenuiser avec l'éloignement, ils s'élargissent. Les balustres obéissent à une loi dissymétrique et paraissent s'enfoncer dans le sol. Les pans de mur sembleraient sur le point de basculer vers l'avant ou vers l'arrière. Le regard saute de proche en proche, tente d'accommoder, renonce et finit par rester à l'affût de l'effondrement du réel. L'attente ne va pas sans quelque euphorie. A ce point entrent en scène les acteurs, ou plutôt ces costumes agis par des acteurs. Toutes les recherches du cubisme des années 1913-1914 ont trouvé à s'y appliquer. Les nombreux dessins *Idée pour une construction* qui, conjointement aux recherches photographiques, avaient accompagné la *Construction au joueur de guitare*[487] se matérialisent ainsi dans le costume du « Manager »[488]. Stoppée au point où l'œuvre comme « construction » tridimensionnelle tendait à se confondre avec l'espace réel – fusion que seule le constat photographique pouvait totalement simuler –, la recherche cubiste trouve ainsi à réinvestir la virtualité scénique. Sans doute fallait-il l'annonce des magies du cirque par le rideau de scène, le choc visuel du décor, cette première déroute de la perception, pour qu'advienne ce « réel » qui n'est pas la réalité. Picasso pourrait ici reprendre à son compte cet aveu de Max Jacob : « Je ne me suis jamais senti si cubiste que depuis que je fais "du réel". C'était le but cubiste. Arriver au réel par des moyens non réalistes »[489].

La séquence photographique devant *Arlequin et femme au collier* recèle cependant un autre enjeu. Par contamination réciproque des modèles et du fond, le cliché peut en effet suggérer une composition nouvelle, celle précisément qui serait à la source du doublet des *Trois musiciens*. Les liens entre ces tableaux et celui qui ici sert de « toile de fond » sont en effet nombreux. Tous trois, bien sûr, mettent en scène le personnage d'Arlequin. Stylistiquement, *Arlequin et femme au collier* et les *Trois Musiciens*, séparés par cinq années, jalonnent le cubisme synthétique, le premier à son point de départ, les deux autres comme un aboutissement[490]. Mais l'on peut aussi voir dans les *Trois musiciens* comme l'ingestion physique par la peinture des trois personnages qui, en 1917, posaient pour la prise de vue devant *Arlequin et femme au collier*. Le détour par le théâtre préparait sans doute Picasso à porter à ce degré supérieur de complexité l'approche spatio-corporelle du cubisme. Theodore Reff a proposé une séduisante interprétation biographique des *Trois musiciens* où il voit une évocation des années de jeunesse en la compagnie d'Apollinaire et de Max Jacob[491]. Il n'y aurait cependant pas contradiction à ce que, du point de vue plastique et symbolique, leur composition ait trouvé son ressort dans la séquence photographique de 1917. A cet égard, il n'est pas indifférent d'observer que la toile connaît deux versions, de même qu'il y eut deux clichés du trio romain. De l'un à l'autre, la position de chaque personnage s'est notamment modifiée dans son rapport à la toile de fond. La version des *Trois musiciens* qui appartient au MoMA emprunte assez littéralement à l'une ou à l'autre photo, le motif de ses trois personnages : l'Arlequin-

487. Cf. Baldassari 1, p. 229-243, fig. 174 et 175 notamment.
488. On y trouverait également un écho à la fusion des formes organiques et mécaniques dont témoignent nombre d'œuvres de 1914. De même, l'homme-sandwich porteur de placards publicitaires renvoie aux dessins et toiles d'hommes assis et accoudés que nous avons associés notamment à un cliché d'hommes au café, cf. p. 146 à 149.
489. Lettre à Jean Cocteau du 5 février 1922, cf. Garnier, t. II, p. 83.
490. On notera que le format des trois toiles est voisin : 200 x 200 ; 203 x 188 ; 200,7 x 222,9.
491. Cf. Reff 2.

Picasso proviendrait du cliché horizontal[492], le Pierrot-Stravinsky s'inspirant de l'épreuve verticale[493] ainsi, d'ailleurs, que le moine-Lord Berners[494]. S'y ajoute un fourmillement de détails où l'on trouverait, par exemple, la source possible du fond treillissé de l'un des tableaux, celle d'un motif d'archet ou du triangle noir transperçant la joue de Pierrot[495]... Il y aurait ainsi tout un jeu d'associations à « saute-mouton » entre une lecture flottante des photos et l'interprétation picturale.

Il est généralement admis que l'exécution de la version new-yorkaise, plus abstraite, plus synthétique, a suivi celle de la toile de Philadelphie. Il reste que le tableau du MoMA semble plus littéralement démarqué de la photographie de groupe. Le témoignage de deux clichés de l'atelier de Fontainebleau pourrait cependant résoudre l'énigme (fig. 220 et 221). Olga sert de prétexte à une prise de vue tournante dressant l'inventaire des peintures alors en chantier. Si la variante de Philadelphie est bien visible sur le mur de gauche, encore inachevée, on devine, lui faisant face, l'autre version, très avancée. Picasso aurait donc poussé le jeu jusqu'à mener en parallèle l'élaboration des deux variantes des *Trois musiciens*. Il aura ainsi multiplié entre elles les permutations, les raccourcis, les écarts de transcription avec toute la liberté que pouvaient lui inspirer deux photographies sources, à la fois jumelles et dissemblables, « comme si la musique syncopée du jazz se traduisait ici visuellement »[496]. Une autre vue du même lieu (fig. 219), présentant un état antérieur de la toile de Philadelphie[497], permet en outre d'identifier la peinture accrochée à son côté comme la variante à l'huile de *Trois femmes à la fontaine*. Peut-on en déduire que le peintre travaillait ce doublet néoclassique dans un vis-à-vis identique à celui utilisé pour les *Trois musiciens* ? Picasso aurait ainsi délibérément organisé le contrepoint stylistique et thématique de ces deux ensembles comme un champ de forces où expérimenter dialectiquement la peinture.

VARIATIONS ITALIENNES

La grande *Italienne* de 1917[498] (fig. 224) est une toile cubisante dont le motif en aplat décoratif joue d'une charte colorée alliant le rouge vermillonné, le vert, l'orangé, le jaune et le bleu sur fond gris-noir. On a parfois supposé qu'elle était l'une des premières peintures pour laquelle Olga aurait posé. Quoi qu'il en soit, le tableau fait la synthèse d'une importante séquence d'études à l'aquarelle dont on peut établir qu'elles s'inspirent directement de cartes postales sans doute acquises par Picasso lors du séjour

---

492. La position des mains sur la guitare évoque directement le geste de l'artiste bourrant sa pipe. Le motif de la collerette serait à rapporter au demi-cercle de la danseuse peinte en arrière du visage de Picasso.

493. On notera, sur le cliché vertical, l'angle des jambes ouvertes, le triangle biscornu du petit personnage, qui dessine comme le chapeau pointu de Pierrot au-dessus de la tête du modèle, la bande noire émergeant sous son oreille auquel correspond le bras du flûtiste, les mains ramenées symétriquement comme elles le sont sur l'instrument, la correspondance entre celui-ci et la cravate portant une perle, les ombres portées des pieds du siège et du modèle qui esquissent la jambe et la queue du chien... La zone unie bleu sombre qui relie le masque de l'Arlequin au corps du Pierrot reprend par ailleurs assez exactement l'articulation sombre que dessinent la jambe gauche, le corps et les épaules de Stravinsky avec le bras droit de Picasso.

494. On observera notamment la parenté entre les deux crânes chauves, l'angle oblique que forment semblablement le bras de la danseuse visible en arrière-plan du cliché et la capuche du moine sur le tableau. Pour la version de Philadelphie, ce même personnage emprunterait plutôt au modèle de la photographie horizontale : geste des mains entrelacées (et rond évoquant une montre-bracelet), correspondance entre la forme claire à la droite du personnage et les traces de plâtre blanc visibles sur le mur derrière Lord Berners.

495. Respectivement, le motif du carrelage de mosaïque au sol de l'atelier, la forme noire au centre d'*Arlequin et femme au collier*, le triangle noir à la droite du visage de Stravinsky dans le cliché horizontal...

496. Cf. Daix 5, p. 876.

497. La composition, à l'instar des gouaches de l'année précédente, se limite encore aux deux personnages de Pierrot et d'Arlequin, et présente, à ce stade, des homologies de structure frappantes avec la version du MoMA.

498. Z III 18.

effectué à Rome, début 1917[499]. Composées dans le même esprit pittoresque, il s'agit de deux images « chromo » sans doute réalisées à partir de photographies de studio et qui présentent des jeunes femmes en costume traditionnel (fig. 222 et 223). Vêtues d'une camisole blanche portée sur une chemise colorée, en jupe longue, bustier serré, tablier brodé, celles-ci se découpent jusqu'à mi-jambe sur un ciel bleu où passent quelques nuages. La première, que l'on désignera comme « L'Italienne accoudée », est encadrée par une barrière de faux bois et un bouquet de palmes qui suffisent à évoquer quelque jardin rustique. La seconde, « L'Italienne à la fleur », chargée d'un panier d'osier, présente un bouquet devant la perspective d'une allée d'arbres. Le premier de ces chromos a fait l'objet d'une interprétation fidèle dans un crayon de 1917, *L'Italienne*[500] (fig. 225). Une version polychrome à l'aquarelle[501] reprendra également l'essentiel de la pose, du vêtement, du décor. L'autre chromo, « L'Italienne à la fleur », donnera lieu à de multiples variations[502]. A la mine de plomb rehaussée à l'aquarelle[503], puis tracés directement à la gouache et à l'aquarelle, cinq dessins partent d'une restitution naturaliste (fig. 228 et 229) pour s'essayer à une division de la touche en croches multicolores ne gardant qu'un lien lointain avec la couleur locale du document de départ (fig. 227 et 230). En 1913-1914, dans une expérience de gravure utilisant pour support un cliché simili, Picasso avait pu s'intéresser aux sollicitations plastiques nées de l'effet de trame punctiforme propre à l'impression en demi-ton[504]. Ici, il extrapolerait le pailletage coloré de la chromolithographie. Cet effet trouverait aussi pour source une carte postale, telle « La Cueillette du jasmin » (fig. 231) dont le coloriage « tachiste » peut être rapproché de ces recherches autour des Italiennes, mais aussi du traitement parodiquement « post-impressionniste » du *Retour du baptême, d'après Le Nain*[505] (fig. 232). Dans ce dernier cas, les confettis de couleurs se superposent à l'austère manière du peintre classique[506], un peu comme le chromatisme artificiel des cartes postales se substitue au noir et blanc des clichés d'origine. Une version « pointilliste » de *L'Italienne*[507], exécutée à l'aquarelle, systématise d'ailleurs les recherches de *pattern* positif/négatif caractérisant cette phase du cubisme synthétique.

La composition du tableau *L'Italienne* résulte d'un montage entre le motif des deux cartes postales romaines. La procédure peut en être suivie à travers une séquence de quatre dessins préparatoires à l'aquarelle ou à la peinture à l'essence[508]. Si les deux premiers reprennent le modèle de « L'Italienne accoudée », les suivants combinent sa posture avec le panier de « L'Italienne à la fleur ». La toile, inversant latéralement le sujet, se compose alors à la manière d'un puzzle[509]. Dans son analyse du tableau,

---

499. Les sources romaines de ce tableau ont été étudiées par Giovanni Caradente, cf. Caradente. Cf. également, Boehm, p. 134-138.
500. Succ. 2063.
501. Z XXIX 228, Succ. 2068.
502. Succ. 2064, 2065, 2066, 2067 et 2069, respectivement Z XXIX 226, 229, 230, 218, 242.
503. Z XXIX 229, Succ. 2065.
504. Il s'agit de la série de gravure *Guitare, clarinette et bouteille de Bass* (Baer, t. I, n° 40 ; MP 1944 à 1950) dont l'élaboration est analysée dans Baldassari 2, p. 24-35, fig. 10 à 22.
505. 1917, Z III 96, MP 56. Waltraud Brodersen (cf. Brodersen, p. 294) a rapproché la texture picturale de cette œuvre du chromatisme à fort grain d'un tirage autochrome du photographe Jacques-Henri Lartigue.
506. Rosalind Krauss souligne que par ce procédé « Picasso nous donne accès à Le Nain à travers une surface visuelle qui agit comme une sorte d'écran historique », cf. Krauss 1, p. 92.
507. Z XXIX 224.
508. Succ. 2059 à 2062, respectivement Z XXIX 220, 14, 219 et 15.
509. Le menton dans la main, le collier à triple rang, le dessin baroque de la balustrade et le décor du tablier proviennent de « L'Italienne accoudée ». L'angle du bras, le panier tressé et la main reposant sur son rebord, le V du fichu croisé sur la poitrine, le feston de la manche renvoient à « L'Italienne à la fleur ». Le vert du tablier, le bleu du corsage et du châle, le blanc de la coiffe et de la camisole, le rouge de la jupe ou de la chemise empruntent à tour de rôle à chacun des clichés. Quant au motif des coupoles de Saint-Pierre émergeant au-dessus d'un mur troué d'une arche et de la courbe claire d'une allée, il utilise, réduits à un tel aplat, les éléments d'une carte postale intitulée « Roma. Villa Gabrielli. Un Viale ».

Kenneth Silver a souligné ce qu'il y aurait d'« incongru » au regard du cubisme des années d'avant-guerre, dans l'alliance ici faite entre un sujet de pure imagerie et un langage formel toujours caractérisé par ses « formes géométriques et abstraites, ses plans superposés et ses configurations spatiales ambiguës »[510]. Cette syntaxe exploite cependant de la manière la plus littérale les propositions formelles résultant de la combinaison des deux images. Le jeu des plans procède de la simple géométrisation du bustier, de la ceinture, des emmanchures coudées, du triangle aplati des coiffes, du genou qui saille à la rencontre de la balustre. Dans sa configuration d'ensemble, il exprime ce qui serait le glissement l'un sur l'autre du schéma de chacune de ces paysannes de fantaisie[511]. De ce point de vue, on peut lire les rectangles orangé, gris et noir formant l'armature constructive du tableau, comme une citation toute matérielle de ce que serait une superposition des deux cartes postales. Non sans ironie, l'effet serait poussé jusqu'à faire coïncider exactement l'oblique noire recoupant l'angle supérieur gauche de la composition avec la trace qui, sans doute due à une décoloration accidentelle, se distingue sur le bord de « L'Italienne à la fleur ». Un traitement alternativement positif et négatif de la balustrade souligne également la dualité des références spatiales[512]. Quant à l'emboîtement picassien de la face et du profil, dont il est fait ici « un usage presque humoristique »[513], il s'impose comme la trace visuelle dédoublée, quasi stéréoscopique, des deux cartes postales.

Datant de 1919, la version classicisante de *L'Italienne* (fig. 242) mêlera à ses emprunts à la haute culture – la *Femme voilée* de Raphaël ou les diverses figures d'Italienne de Jean-Baptiste Corot[514] – les sources utilisées en 1917. Ainsi les cieux des cartes postales romaines semblent bien avoir inspiré le fond céruléen de la toile de 1919 où Picasso s'est plu à traduire l'idéal renaissant de l'Italie du Nord dans une version populaire d'un vérisme naïf. Un dessin de la même année, *L'Italienne à la cruche*[515] (fig. 226) reprend également un motif voisin de « L'Italienne accoudée ». Assis, la main appuyée à l'anse d'une *conca* gigantesque, le modèle y conserve ce geste de la main repliée sous le menton. Pour ce dessin, Picasso utilise également une autre référence photographique, un cliché carte de visite d'une jeune paysanne[516] (fig. 243). Günther Metken suggère par ailleurs que certaines des études préparatoires à l'*Italienne* de 1919 auraient été exécutées « d'après des photographies de femmes orientales ». L'une d'entre elles, *Femme à la cruche*[517] (fig. 237), est en effet à rapporter à un cliché conservé dans les archives de l'artiste (fig. 236). Il s'agit d'un tirage à l'albumine d'époque 1860-1880 appartenant à la série des photographies orientalistes utilisées par Picasso lors de la « période rose ». Intitulée « Femme avec ballas », cette épreuve présente un modèle en costume traditionnel tenant une poterie sur la hanche. Picasso, comme il le fait fréquemment, déplace le cadrage afin que le personnage occupe

510. Cf. Silver, p. 121.

511. Gottfried Boehm, dans son analyse de cette *Italienne*, a bien noté comment « pour stricte que soit la logique de planéité, la figure conserve espace et indications de volume ». Il précise : « La figure apparaît et s'épanouit dans un entre-deux spatial. Picasso la construit, couche après couche, vers le spectateur », cf. Boehm, p. 136-138.

512. Sur le cliché, le motif tortueux du faux bois s'exprimait en clair cerné de sombre pour la partie se détachant sur le ciel, en ton sur ton dans sa moitié inférieure ; la toile le reprend alternativement en noir et en blanc.

513. Cf. Fermigier, p. 202.

514. Cf. Metken, p. 164-166. L'auteur rappelle que Picasso possédait l'esquisse de Corot *Maria di Sorre* (aujourd'hui au musée Picasso) qui lui avait été offerte par Wilhelm Uhde, et met le tableau de 1919 en rapport avec une œuvre naturaliste de 1907-1909, *Portrait d'une Italienne* (Z XXVI, 390), exécutée par Picasso dans l'atelier de Derain.

515. Z III 362, « d'après une photographie ».

516. Le cliché porte la marque de Bazelais, photographe à Nantes, 16 rue Boileau. *L'Italienne à la cruche* lui emprunte le mouvement de la coiffe, large pièce de toile voletant autour de la tête, les galons plus étroits du tablier, l'empiècement et les rubans du corsage dont il est donné un dessin très libre.

517. Z III 359, « d'après une photographie ».

Fig 222
Edition Stengel & Cᵒ,
Dresde
L'Italienne accoudée
Allemagne, vers 1900
[Chromolithographie]
(carte postale)
Paris, archives Picasso

Fig 223
Edition Stengel & Cᵒ,
Dresde
L'Italienne à la fleur
Allemagne, vers 1900
[Chromolithographie]
(carte postale)
Paris, archives Picasso

Fig. 224
L'Italienne. Rome, printemps 1917. Huile sur toile.
149 x 101 cm. Zurich, fondation E. G. Bührle

Fig. 225
Italienne
Rome, 1917
Crayon
28 x 20,5 cm
Collection particulière

Fig. 226
Italienne à la cruche
1919
Crayon sur papier
61 x 48 cm
Collection particulière

Fig. 227
Italienne à la fleur
Rome, 1917
Aquarelle sur papier
26,5 x 27 cm
Collection particulière

Fig. 228
Italienne à la fleur
Rome, 1917
Aquarelle et crayon sur papier
27 x 20 cm
Collection Marina Picasso,
Galerie Jan Krugier,
Ditesheim & Cie, Genève

Fig. 229
Italienne à la fleur
Rome, 1917
Aquarelle sur papier
20 x 27 cm
Collection Marina Picasso,
Galerie Jan Krugier,
Ditesheim & Cie, Genève

Fig. 230
L'Italienne à la fleur
Rome, 1917
Aquarelle sur papier
27 x 20 cm
Collection particulière

Fig. 231
Edition A.D.I.A.
La cueillette du jasmin
Photochromie
(carte postale)
Paris, archives Picasso

Fig. 232
Le Retour du baptême,
d'après Le Nain
[Paris], automne 1917
Huile sur toile
162 x 118
Paris, musée Picasso

Fig. 233
Edition L. Roque, Céret
Catalane allant à la fontaine
[1905-1910]
Phototypie (carte postale)
Paris, archives Picasso

Fig. 234
Edition Labouche frères,
Toulouse
Catalane à la fontaine
[1905-1910]
Phototypie (carte postale)
Paris, archives Picasso

Fig. 235
Femme à la cruche. Paris, 1919. Encre de Chine.
25 x 19 cm. Collection particulière

Fig. 236
G. Lekegian
Femme avec ballas
Egypte, [1860-1880]
Epreuve sur papier albuminé
27,5 x 21 cm
Paris, archives Picasso

Fig. 237
Femme à la cruche, 1919. Crayon sur papier. 65,5 x 48,5 cm. Santa Barbara,
The Santa Barbara Museum of Arts, don Wright S. Ludington, 1946

Fig. 238
Anonyme
Femme kabyle (détail)
Algérie, [1860-1880]
Epreuve sur papier albuminé
24 x 17,5 cm
Paris, archives Picasso

Fig.239
Femme au chapelet
Paris, 1919
Crayon sur papier
31,8 x 21,6 cm
Collection particulière

Fig. 240
Trois femmes à la fontaine
Fontainebleau, été 1921
Sanguine et huile sur toile
201 x 161 cm
Paris, musée Picasso

Fig. 241
Femme nue debout
1921
Huile sur toile
132 x 91 cm
Prague, Narodni Galerie

Fig. 242
L'Italienne. Paris, 1919. Huile sur toile
98,5 x 70,5 cm. Collection particulière

Fig. 244
Edouard, Nevers,
7, rue de l'Evêché
Fillette en costume régional
[1860-1880]
Epreuve sur papier albuminé
(carte de visite)
Paris, archives Picasso

Fig. 243
Bazelais, Nantes,
16, rue Boileau
Femme en costume régional
[1860-1880]
Epreuve sur papier albuminé
(carte de visite)
Paris, archives Picasso

l'ensemble du feuillet. Le fusain estompé laisse transparaître plusieurs tracés, légèrement exprimés, des bras et du buste. La transparence du voile noir, le motif en losange de la robe, le détail de la parure et des bijoux sont indiqués en quelques traits. La tête, en revanche, fait l'objet d'un travail qui outrepasse la restitution illusionniste du cliché. Détaillé à la mine de plomb, le dessin rétrécit la bouche, élargit le nez, accentue la dissymétrie du regard. Le tracé du sourcil, l'ombre de la cavité orbitale, l'œil sont unis en une entité plastique qui annonce certaines études de 1922[518]. Le lacis de crayon qui parcourt les courbes de niveau du visage atteint une telle finesse que le modelé et l'ombre semblent faits d'une impalpable poussière. Un autre cliché oriental (fig. 238), celui de la jeune femme en pantalon bouffant qui avait inspiré certaines des recherches autour de *La Toilette* de 1905, pourrait également avoir été réemployé pour un dessin de 1919, *Femme au chapelet*[519] (fig. 239). Mais, pour Picasso, le motif « italien », emblème d'une figure paysanne plus picturale que réelle, peut se nourrir aux sources géographiques les plus diverses. En témoignent l'aquarelle *Femme au corsage bleu*[520], dont la pose et la parure transposent un cliché édité à Nevers[521] (fig. 244), ou une encre de Chine[522] (fig. 235) qui emprunte à une carte postale de « Catalane allant à la fontaine » éditée à Céret[523] (fig. 233).

A cette Méditerranée imaginaire appartiennent encore les deux variantes de la grande toile de 1921 *Trois femmes à la fontaine*[524] (fig. 240). Comme l'attestent nombre des études[525] préparatoires ou la peinture voisine, *Femme nue debout*[526] (fig. 241), plusieurs de ses éléments dérivent à l'évidence de la *Femme à la cruche* de 1919 et du cliché qui en est la source : arrondi ovoïde des amphores, dessin du visage et des paupières, mouvement asymétrique des bras et des mains, geste de l'index passé dans l'anse, ligne des tuniques découvrant un sein[527]… La prégnance de la photographie égyptienne, de sa tonalité, de son arrière-plan vacant pourrait aussi ne pas être étrangère au traitement à la sanguine de l'une des versions du tableau, à la quasi-monochromie terre cuite de l'autre ou à ce fond « amorphe et brut »[528] qui a quelque peu dérouté les commentateurs. Plus fondamentalement, la recherche d'une volumétrie par le clair-obscur se radicalise dans un modelé lourdement simplifié des membres, des visages et des drapés, l'architecture sommaire des visages, les disproportions de l'anatomie, le jeu rythmique des attitudes. De l'Egypte à l'Italie en passant par l'Antiquité de Nicolas Poussin[529], la photographie aura ainsi indirectement nourri le vocabulaire pictural de ce qui a pu être vu comme la « traduction classiciste » des *Trois femmes* de 1908[530].

---

518. Carnet 24, MP 1868, notamment le feuillet 12 R.
519. Z III 360. On y retrouve la pose de trois quarts, la coiffure réinterprétée sous la forme d'un turban, le bras enseveli dans les pans de l'étoffe d'où sort la main. Le traitement du visage par un tracé entrecroisé de lignes courbes est similaire à celui de *Femme à la cruche*.
520. Z III 361.
521. Il porte la marque du photographe Edouard, 7 rue de l'Evêché.
522. *Femme à la cruche*, Z III 294.
523. Un exemplaire de cette même carte postale avait été envoyé par Picasso à Guillaume Apollinaire, le 9 août 1911.
524. Une version à la sanguine, restée chez l'artiste, est aujourd'hui au musée Picasso de Paris (MP 74, pas dans Z), l'autre à l'huile, Z IV 322, est conservée au Museum of Modern Art, New York.
525. Notamment l'une des esquisses d'ensemble (MP 965, pas dans Z), une recherche pour la main droite de la femme de droite (Z IV 326, MP 967) et, plus directement, une étude pour la main de la femme de gauche (Z IV 323, MP 966) qui transcrit explicitement la main droite du cliché « Femme avec ballas ».
526. 1921, Z IV 327. On pourrait également évoquer *Femme au jupon rouge* (1921, Z IV 305) ou *Buste de femme* (1921, Z IV 328).
527. Le personnage de gauche dans *Trois femmes à la fontaine* reprend notamment le dessin des deux mains du cliché égyptien « Femme avec ballas », le modelé lumineux du visage de trois quarts (inversé latéralement), le jeu des plis sur la poitrine, l'oblique onduleuse du décolleté. Le volume arrondi de la cuisse repliée répond à celui de la cruche sur la photographie. *Femme nue debout*, pour sa part, est fidèle à la volumétrie du visage (en y inversant la direction des lumières) et au drapé sur l'abdomen, la pose des bras dérivant de manière assez lisible d'un mouvement asymétrique où la main gauche serait

DUALITÉ DE STYLE, PORTRAITS DOUBLES

Lorsque Picasso utilise un cliché publicitaire du photographe de Grandval (fig. 246) comme base du grand tableau *Les Premiers communiants*[531] (fig. 247), cette image lui évoque sans nul doute sa sœur Lola. Celle-ci avait été le modèle de la toile académique qu'il peignit à moins de quinze ans, *La Première communion*[532], et y porte une même coiffure faite d'un voile et d'une couronne de fleurs. Comme l'a noté Hélène Seckel[533], cette figure féminine est au centre de son attention et lui inspire deux huiles[534], études de détail à l'échelle du tableau d'ensemble. Celles-ci vont, dans un resserrement du cadrage, comme chercher la couleur du modèle vivant, sa carnation. Le rouge, déjà présent dans l'apparat liturgique de la version de jeunesse, fait retour sur un mode virulent avec la petite toile cubiste[535] (fig. 245) que Picasso peint, également en 1919, à partir de la même source photographique. Le rouge y claque accompagné de bleu et de blanc[536]. A l'opposé, la version naturaliste des *Premiers communiants* mêle le blanc, le brun et le noir dans les proportions que suggère le virage sépia de l'épreuve photographique. Elle est faite d'une matière picturale si mince qu'elle paraîtrait desquamer, comme pour « mimer » le caractère pelliculaire du support photographique. Infime couche de gélatine photosensible où il n'est pas d'autre drame que celui que créerait un accident physique ou chimique. Ce pourrait d'ailleurs être cette référence à la nature spécifiquement *plane* de l'image photographique qui expliquerait l'« inachèvement » pictural d'autres toiles inspirées à Picasso par des clichés, tels *Le Peintre et son modèle* ou *Olga dans un fauteuil*. Comme si l'artiste avait choisi d'y transposer un langage qui, au sens propre, soit tout de « surface ». Cette double atonie de couleur et de matière des *Premiers communiants* fait écho à l'éclairage écrasé, sans ombre ni relief, de la prise de vue en studio. L'arrière-plan unissant mur et fond sécrète un espace ambigu où les modèles semblent léviter. Achromie et despatialisation semblent inscrire le tableau dans la seule dimension du temps.

A l'œuvre dans les dessins de la période 1917-1919, la tentative d'exprimer l'instant vécu par une vibration optique serait également décelable dans *Olga lisant*[537] et *Olga au col de fourrure*[538], où la peinture emploie un graphisme monochrome. Dans la seconde de ces toiles, le fond est recouvert d'une couleur blanche sur laquelle se délie le tracé du sujet, la fluidité de ce trait s'opposant à la rugosité du fond pictural. L'image se donne ainsi comme le premier état d'un « développement » où seules seraient révélées les valeurs les plus fortes[539]. Comme les *Communiants*, ces figures au traitement dit « naturaliste » introduisent à une vision existentaliste plutôt que mimétique du modèle. Fixité, silence, étrangeté habitent ces œuvres dont la vacuité est comme soulignée par leur caractère référentiel. Une peinture de l'absence

ramenée vers la taille tandis que l'autre avant-bras serait déplié. *Trois femmes à la fontaine* emprunteraient également à une carte de Céret (fig. 234) : profil, geste du bras, mur de la « fontaine d'amour »...

528. Cf. Schmidt, p. 249-252.
529. Le tableau peut être rapproché de l'*Eliézer et Rébecca* du Louvre. Cf. Schmidt, p. 260.
530. Cf. Daix 5, p. 875.
531. MP 1990-6.
532. Hiver 1895-1896, Z XXI 49.
533. Cf. Seckel 2, p. 24-25.
534. *Communiante avec missel* (1919), Succ. 12212 (en buste), et *Tête de communiante* (1919), Succ. 12223 (centrée sur le visage).
535. Z III 286.
536. Moins qu'à la fanfare républicaine, la couleur ferait ici écho aux rideaux d'opéra des décors pour *Tricorne*. Comme pour *La Famille de Napoléon III*, l'antagonisme du rouge et du bleu se superpose à l'achromie d'un cliché photographique.
537. 1920, MP 1990-7.
538. 1923, MP 1990-9.
539. Il s'ajoute que cette toile a été peinte sur une autre image devenue comme latente, un portrait de femme traité sur le mode du cubisme. Recouvrement sémantique connu du seul peintre jusqu'à ce que la radiographie l'ait à nouveau mis au jour.

Fig. 245
Les Communiants
1919
Huile sur toile
35 x 24 cm
Collection particulière

Fig. 246
De Granval, Paris
Les Premiers communiants
Cliché publicitaire
Collection particulière

Fig. 247
Les Premiers communiants. 1919. Huile sur toile.
100 x 81 cm. Paris, musée Picasso

Fig. 248
Les Amoureux. 1919. Huile sur toile.
185 x 140 cm. Paris, musée Picasso

Fig. 249
J. Yrondy, Paris,
99, boulevard Gouvion St-Cyr
Jeunes mariés
Paris, [1875-1880]
Epreuve sur papier albuminé
(carte de visite)
Paris, archives Picasso

Fig. 250
Edition Lotus
Couple d'amoureux
Carte postale
Paris, archives Picasso

Fig. 251
Studio Amer, Barcelone
Dolores Ruiz-Picasso
et le docteur Vilato
Barcelone, vers 1910
Epreuve gélatino-argentique
(carte postale)
Paris, archives Picasso

Fig. 252
Le Ménage Sisley
d'après « Les Fiancés »
d'Auguste Renoir
Paris, fin 1919
Mine de plomb sur papier
31,2 x 23,8 cm
Paris, musée Picasso

Fig. 253
Etude pour le décor
de « Cuadro flamenco » :
spectateurs dans une loge
Paris, 1921
Mine de plomb sur papier
26,5 x 20
Paris, musée Picasso

Fig. 254
Couple au balcon. Paris, 11 avril 1920. Crayon sur papier.
30,5 x 24 cm. Collection particulière

où les corps privés d'espace, d'épaisseur, de vie, exhibent leur matière fantomatique. Le vertige d'une apesanteur existentielle que le lest du rapport au réel rend encore plus inquiétante. La peinture touche alors à un état limite de sa raison d'être et de ses moyens. Sur un mode différent du cubisme, elle opère une dé-sublimation du sujet qui, dans le cas du portrait, confine à l'intolérable. Au cœur même du dispositif illusionniste de la ressemblance, au « ça a été » de la photographie succède, dans tout son dénuement, l'*être-là* de la peinture.

De la photo initiale, chacune des versions des *Communiants* reprend le motif du missel que lisent ensemble les deux adolescents. La toile cubiste construit même toute son architecture sur l'axe de ce livre ouvert qui sépare et soude à la fois l'espace de chaque figure. Picasso traduisant ainsi la structure symétrique du cliché, y projette ses couleurs et souligne les distorsions produites par la caméra – la jambe du garçon[540] – ou, au contraire, les supprime. Le dossier du prie-dieu, qui formait un angle perspectif creusant le centre du cliché, est ainsi aligné sur la frontalité des personnages. Il prolonge cependant la coupe verticale, comme faite aux ciseaux, qui jointoie artificiellement les deux pans du tableau, rappelant qu'il y a eu là perte et soudure. Une variante préparatoire à la version figurative[541] conserve les traces de ce découpage cubiste tout en tentant de rétablir un schéma plus naturaliste. Restent des points de tension tels que les mains hors d'échelle de l'adolescente, l'épaule démanchée du garçon, les jambes réduites à deux cylindres informes. L'effet de rideau, encore lisible sur la droite, et toute différenciation du sol, du mur ou du décor seront abandonnés dans la toile finale qui en revient au principe initial de la monstration photographique.

Du spectacle rituel de la communion à celui d'un mariage, il n'y avait qu'un pas. Contemporaine des *Communiants*, la toile *Les Amoureux*[542] (fig. 248) transpose ainsi le couple mystique des deux adolescents au plan d'une union plus charnelle. Les parentés sont nombreuses dans la façon dont est traitée la fusion des deux corps, en particulier avec la version cubiste des *Communiants*[543]. Si *Les Amoureux* se réfèrent explicitement à Manet[544], ce pourrait donc être aussi en hommage à la manière « photographique » que sa peinture sut parfois affirmer[545]. La toile peut d'ailleurs être rapprochée de plusieurs des clichés de mariés ou de fiancés que Picasso conservait. Ainsi, une carte postale sentimentale[546] (fig. 250) aurait pu suggérer et le sourire orné d'une moustache en croc de l'amoureux et celui de sa compagne où perlent les dents. Un portrait carte de visite de deux mariés[547] (fig. 249) offrirait en revanche le frac, le plastron de l'homme et le sac à coulisse de l'amoureuse. Mais une origine plus directe de la toile se trouverait être un cliché des années 1910 représentant Lola et son époux, le Dr Vilato[548] (fig. 251). Le visage de celui-ci, le buste de la jeune femme, la façon dont la main se referme sur le bras, le profil des pieds, les feuillages peints du studio trouvent leurs doubles dans le tableau. La peinture, animée d'une douce

---

540. Figurée en gris dans sa partie la plus éloignée, celle-ci est reprise en noir dans la partie en plan rapproché que la perspective photographique déformait.

541. *Les Communiants*, 1919, Succ. 12216.

542. Z III 438, MP 62.

543. Cette parenté formelle s'appuie sur les éléments réalistes communs aux deux scènes : habit noir des personnages masculins, aumônière portée par les deux modèles féminins.

544. Ce nom est manuscrit, telle une signature, dans l'angle droit du tableau.

545. Susan Grace Galassi a par ailleurs établi les rapports de cette toile avec le tableau de 1877, *Nana*. Cf. Galassi, p. 76-82. Elle voit dans la stricte frontalité qui s'y substitue au complexe jeu de regards du tableau de Manet un effet de « théâtralité » découlant des travaux de Picasso pour la scène. Cette frontalité évoque au moins aussi directement le studio de prise de vue.

546. Le cliché est signé « Lotus ».

547. Le cliché provient du studio J. Yrondy à Paris.

548. Cette identification nous a été confirmée par Javier Vilato. Le cliché est signé du studio Amer à Barcelone.

gaieté, urbaine, moderne, s'avère ainsi participer, au même titre que *Les Communiants*, d'un cycle de tableaux inspirés à Picasso par sa sœur.

Ces sources semblent de même se combiner dans le dessin *Couple au balcon*[549] (fig. 254). L'inquiétante main, largement ouverte, de la femme s'y dilate en exact miroir de celle de l'amoureux étreignant la taille de sa partenaire. Ce croquis est voisin des études de spectateurs dans leurs loges reprises pour le décor de *Cuadro flamenco*[550] (fig. 253). La balustrade du photographe y devient balcon de théâtre et le couple posant devant l'objectif, spectateurs donnés en spectacle. Toute une série de correspondances visuelles s'observent ainsi entre les deux versions des *Communiants*, *Les Amoureux*, le dessin *Couple au balcon*, les photographies[551]… Le rapport de deux corps, leur mode de contact et de séparation, l'opposition de leurs signes formels constituent autant de problèmes picturaux à l'œuvre chez Picasso dans ces années. Le recouvrement d'une surface par une autre provoque gonflement ou creusement baroque de l'espace. Il s'agit, pour l'artiste, de contrôler cet effet perceptif ou, au contraire, de le susciter à contre-emploi, perturbant le jeu plan de la construction par un va-et-vient linéaire où l'œil se perd. Ainsi, par la ligne seule, par la vibration d'un trait ombré, par les plages de valeur, les trois états du *Ménage Sisley*[552] (fig. 252), variations d'après la toile de Renoir *Les Fiancés*, se donnent comme la didactique de ce mouvement incessant qui, dessus/dessous, parcourt la représentation en navette.

« UNE PROFONDE SCULPTURE EN RIEN… »

En 1933, André Breton signe dans le premier numéro du *Minotaure* un article intitulé « Picasso dans son élément ». Illustré de photographies de Brassaï, ce texte décrit certaines des sculptures les plus éphémères de l'artiste dont cet *Objet*[553], assemblage fait d'une plante morte et de quelques accessoires : « Les racines saillent de la terre, s'arc-boutent et se mêlent inextricablement dans une convulsion suprême, qui n'est que la grimace de l'étreinte. La lignification totale de la tige, gainée à son extrémité d'une corne de bœuf, la disparition des feuilles compensée, par contraste, par l'imperceptible frémissement d'un petit plumeau rouge, sont exploitées on ne peut plus contradictoirement avec tout ce qu'a pu faire naître le sentiment de la vie réelle de l'arbuste »[554]. Ces mots de Breton et la photographie de Brassaï se substituent pour nous à la sculpture disparue depuis. William Rubin, dans son analyse des rapports de Picasso avec les arts « primitifs », remarquait : « Beaucoup d'objets tribaux ont la même simplicité, sincérité et gaucherie, la même désarmante absence de prétention que les constructions de Picasso (…). Certes, peu de constructions et assemblages de Picasso ressemblent à des objets tribaux, mais de temps à autre l'artiste signale par un geste quasi parodique l'attention qu'il porte à ces derniers.

549. 11 avril 1920. La pose des époux, leurs mains nouées, la balustrade viendraient du cliché carte de visite, le visage de la femme de la carte « Lotus » ainsi que le chignon devenant chapeau ou le collier, col de dentelle. Pour l'essentiel, ce dessin doit cependant emprunter à un portrait carte de visite comparable à ceux que nous avons rencontrés ici. Ce document n'a pas été identifié à ce jour.

550. La parenté de construction est bien visible dans l'étude *Spectateurs dans une loge* (Z IV 247, MP 1822). La main de la femme repose semblablement sur l'appui du balcon, un éventail de plumes se substituant au mouchoir.

551. Evoquons également les balustres du balcon et celles du prie-dieu sur lesquelles les mains reposent à l'identique ou l'emboîtement de l'épaule claire et de l'épaule sombre qui gouverne la composition de toutes ces images.

552. 1919, Z III 428 (MP 868), 429 et 430.

553. L'œuvre est datée de 1931 par Werner Spies (cf. Spies 2, p. 376) alors que, sous le titre de *Plante, plumeau et corde*, Daniel-Henry Kahnweiler la date de 1928 (cf. Kahnweiler 3, n° 19). Dans cette dernière hypothèse, elle préexisterait bien au texte de Georges Bataille « Soleil pourri » paru dans le numéro spécial d'hommage à Picasso de *Document* (n° 2, 1930). Yve-Alain Bois en rappelle la référence à une « vision fantastique et impossible des racines qui grouillent, sous la surface du sol, écœurantes et nues comme la vermine », cf. Bois et Krauss, p. 75.

554. Cf. Breton, p. 16.

Fig. 255
Brassaï. « *Objet* » [1928]. Paris, atelier du 23, rue La Boétie, [1932].
Epreuve gélatino-argentique. 28,8 x 21,2 cm. Paris, musée Picasso

Fig. 256
[Paul Guillaume]. *Objet [océanien].* Paris, 1917. Epreuve gélatino-argentique.
27,8 x 20,5 cm. Paris, archives Picasso

C'est ainsi que j'interprète le « fétiche » qu'il a créé en ajoutant une corne et un plumeau à une masse de racines de philodendron »[555]. Cette intuition se trouve vérifiée par la découverte, dans les archives de l'artiste, d'un cliché faisant partie d'un ensemble de photographies de Paul Guillaume consacrées à des sculptures primitives. Ces épreuves se rattachent au travail de prise de vue effectué par le collectionneur pour préparer le portfolio *Sculptures nègres*, publié en 1917 avec un « Avertissement » de Guillaume Apollinaire[556]. L'une d'entre elles (fig. 256) présente un objet sans doute océanien[557] constitué d'une bourse de cuir cousu, serrée d'une cordelette, d'où jaillissent des morceaux de fourrure et une gerbe de plumes. L'analogie avec l'œuvre de Picasso est frappante.

Lorsque Brassaï photographie celle-ci (fig. 255), il ne connaît certainement pas le tirage déjà ancien que l'artiste possède. La logique propre de l'objet le conduit cependant à un cadrage très similaire à celui adopté par Paul Guillaume. Il est d'ailleurs probable que la prégnance visuelle de ce cliché avait induit Picasso à concevoir sa sculpture selon l'axe que retiendra le photographe. Le plumeau y est fixé sous le même angle que dans le fétiche océanien, la corne s'incurve comme la lanière de fourrure et le pot lui-même s'assimile au sac de peau. Voulant conserver à cet échafaudage sa dynamique, Brassaï reconstruit ainsi le schéma du cliché initial. Il y aurait là comme une « preuve par deux » de la photographie où la parfaite intelligence de l'œil parvient le plus précisément à restituer le geste de l'artiste et, à travers lui, sa source inavouée. Il est vrai que le placement d'*Objet* – posé assez bas, dans un angle de pièce – ne laissait guère de choix au photographe et que Picasso avait sans doute voulu ainsi obliger l'œil à le voir tel un arc se tendant depuis la racine jusqu'au plumet[558]. Il se trouve cependant que Brassaï prit deux vues successives. La seconde (fig. 257) est restée inédite à ce jour et seul l'examen de ses planches de travail[559] a permis d'en connaître l'existence. Cet autre cliché nous apprend que le pot de philodendron était posé sur un guéridon garni d'un tapis et de franges de corde. André Breton, ignorant ce fait, interprète *Objet* comme associant en lui-même une sculpture – la corne et le plumet – et un socle représenté par la racine morte[560]. La vision nouvelle qu'en donne Brassaï se rapproche encore un peu plus du point de vue de Paul Guillaume qui accordait une place importante au volume trapézoïdal, sur lequel était posé le fétiche, et à l'opposition des qualités plastiques respectives de l'objet et de son support. Le cliché de Brassaï révèle également la présence, entre la sculpture et le guéridon, d'une plaque aux bombements ligneux qui pourrait être de bois calcifié tant elle semble parfaitement polie. Un tel étagement décline toutes les formes du végétal, dans leur réalité – la corde, le bois, les racines – ou leur symbolique, la corne et les plumes figurant feuille et fleur. Ces éléments s'enchaînent par contact physique comme pour donner naissance à un arbre composite qui aurait les franges pour racines et

555. William Rubin, « Picasso », cf. Rubin 2, vol. 1, p. 316.
556. Cf. Guillaume. A propos de cet album, cf., notamment, Bouret, et Paudrat. Le portfolio de Guillaume mérite d'être rapproché du recueil de 20 clichés dus au photographe Charles Sheeler, cf. Sheeler. Cf., à ce sujet, Lee Webb, p. 55-62. Les archives Picasso conservent 17 tirages de travail dont la plupart portent la mention « collection et procédé Paul Guillaume ». Deux d'entre eux correspondent à des clichés repris dans l'album *Sculptures nègres*, dans un cadrage légèrement resserré, *Fétiche M'galli de la virilité* (pl. IV) et *Tête rituelle du Congo* (pl. XII).
557. Selon l'indication de M. Jean-Michel Huguenin, expert à Paris.
558. Le titre de *Profil*, donné à l'œuvre par Werner Spies, implique un point de vue déterminé physiquement comme il l'est pour une photographie. Il évoquerait aussi ce récit de Roland Penrose décrivant, dans l'atelier de Boisgeloup, « une construction très complexe de fil de fer qui paraissait tout à fait incompréhensible sauf lorsqu'une lumière projetait son ombre sur le mur. Alors l'ombre devenait un portrait vivant de Marie-Thérèse », cf. Penrose 1, p. 244.
559. Nous remercions Mᵐᵉ Gilberte Brassaï de nous avoir autorisée à consulter ces planches annotées par Brassaï.
560. « Mais cette idée même de support, de soutien, avec toute la valeur encore une fois justificative qui s'y attache, cette idée en se réfléchissant sur elle-même exige encore sa réciprocité : si la sculpture prend appui sur la plante, il n'est pas interdit que des objets aussi hétéroclites qu'on voudra reposent sur elle (aussi bien est-il d'un intérêt douteux de se demander si le lierre a été fait pour le mur ou le mur pour le lierre) et ces objets en eux-mêmes ne seront jamais trop humbles, trop futiles », cf. Breton, p. 16.

Fig. 257
Brassaï. « *Objet* » [1928]. Paris, atelier du 23, rue La Boétie, [1932].
Epreuve moderne d'après le négatif original. 29,8 x 22 cm. Collection particulière

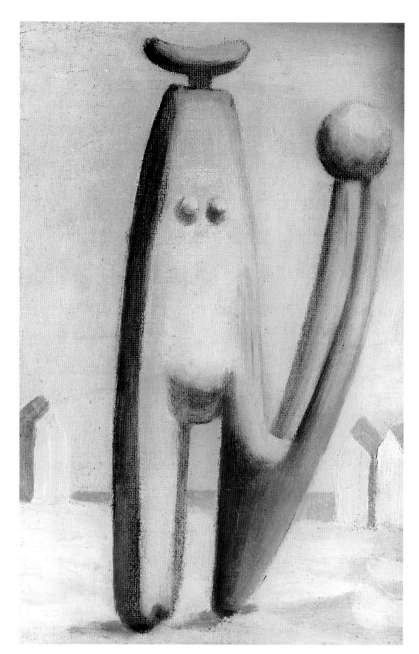

Fig. 258
Baigneuse au ballon
Dinard, 1ᵉʳ septembre 1929
Huile sur toile
21,9 x 14 cm
Paris, musée Picasso

Fig. 259
[Pablo Picasso]
Marie-Thérèse Walter
sur la plage de Dinard
Dinard, [été 1928 ou été 1929]
Épreuve gélatino-argentique
Collection particulière

Fig. 260
Anonyme
Homme au travail
[1920-1925]
Epreuve gélatino-argentique
10,5 x 7,6 cm
Paris, archives Picasso

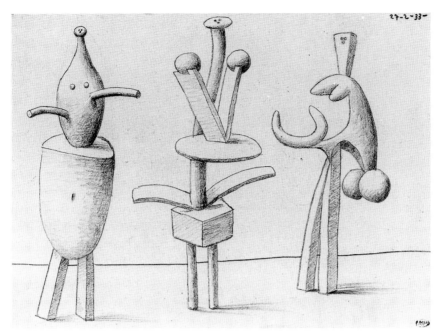

Fig. 261
Une anatomie : trois femmes. [Paris], 3 février 1933.
Mine de plomb sur papier. 19,8 x 27,4 cm.
Paris, musée Picasso

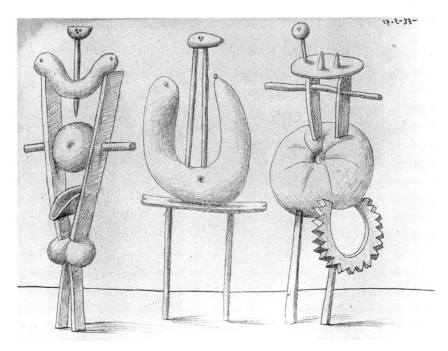

Fig. 262
Une anatomie : trois femmes
[Paris], 27 février 1933. Mine de plomb sur papier
20 x 27 cm. Paris, musée Picasso

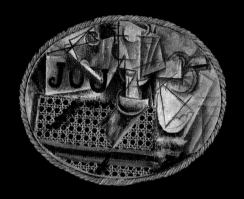

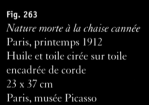

Fig. 263
Nature morte à la chaise cannée
Paris, printemps 1912
Huile et toile cirée sur toile
encadrée de corde
23 x 37 cm
Paris, musée Picasso

Fig. 264
Composition photographique,
nature morte sur un guéridon
Paris, 1911
Epreuve moderne
d'après le négatif original
Paris, archives Picasso

Fig. 266
Guitare sur guéridon
Paris, 11 novembre 1919
Crayon sur papier
17 x 11,5 cm
Collection particulière

Fig. 265
Guitare, guéridon
Paris, 6 novembre 1919
Gouache et crayon sur papier
23 x 11 cm

s'épanouirait dans le plumeau. Dans cette lecture, guéridon et plaque de bois feraient partie intégrante de l'œuvre dont la plastique matérielle s'enrichirait de cette diversité tactile : rugueux de la cordelette, poli du bois fossile, pulvérulence de la terre, etc. Son chromatisme allierait de même les blancs, beiges et bruns aux roux et au rouge. Plus qu'un simple calembour visuel sur le mode surréaliste, *Objet* devrait alors être lu comme un syntagme jouant de manière complexe des effets formels de contiguïté et de métaphore.

Dans le fétiche d'origine, plumet et lanières de fourrure sortant du sac où sont resserrés les os de l'ancêtre, sont là pour détourner le ressentiment des esprits. Il est fait des mêmes matériaux de fortune que ces *grigris* évoqués par Apollinaire dans l'album de 1917 : « pagnes en cotonnade, grandes plumes, boulettes de résine, colliers, pendeloques, clochettes en fer, lianes, poignées d'herbe, coquillages, dents de suidés, miroirs, clous, morceaux de ferraille de toute espèce... »[561]. Avec ses quelques accessoires, *Objet* atteint une semblable signification. La terre desséchée et son entrelacs de racines prennent le statut de reliques sur lesquelles la corne et le plumeau flamboyant s'arriment comme des leurres visuels conjurant les maléfices quotidiens. L'humour picassien ne se départit cependant jamais d'un certain sérieux. « Si nous donnons une forme aux esprits, disait l'artiste à André Malraux, nous devenons indépendants. Les esprits, l'inconscient, l'émotion c'est la même chose »[562]. Ainsi, par ses mains, les esprits qui hantent l'espace domestique[563] épouseraient la forme venue d'un rituel d'Océanie.

Mais *Objet* mériterait aussi d'être replacé dans le cycle des recherches plastiques qu'inspire à Picasso, dans les années 1927-1928, la poursuite de l'impossible projet d'un « Monument à Apollinaire »[564]. Correspondance avec le sac reliquaire primitif, rituel de souvenir, référence à l'album de 1917 et à la découverte partagée de l'« art nègre », bien des liens souterrains s'établissent entre lui et le poète défunt. *Objet* pourrait être la matérialisation fictionnelle de cette « profonde statue en rien, comme la poésie et la gloire » qu'Apollinaire avait appelé de ses vœux[565]. Il comporte de plus une affinité symbolique avec les inquiétantes constructions anthropomorphes auxquelles Picasso travaille au mois d'août 1928 et qu'il versera au dossier de ses propositions pour un monument. A cet égard, nous serions tentée de rapporter à ce premier séjour à Dinard la photographie de Marie-Thérèse Walter (fig. 259) généralement datée de l'année suivante. Loin d'être un instantané de plage, il s'agit bien d'une étude posée explorant les rapports entre le profil du corps et la balle tenue à hauteur de regard. Une équivalence toute surréaliste s'établit en effet entre le corps triomphant de la jeune fille et les édifices organiques du Carnet 1044. En chaque cas paraît s'inventer une sculpture inédite qui prendrait pour principe l'équilibre précaire entre la structure d'une anatomie et le volume d'une sphère, ici tenue entre les cinq doigts

561. Cf. Apollinaire 1.

562. Cf. Malraux, p. 18. Ce propos se rattache au fameux récit que Picasso fait de sa première visite au musée du Trocadéro.

563. La même attention inquiète au langage des choses se dira encore, à l'époque de « La Californie », comme en témoigne ce propos rapporté par Hélène Parmelin : « Et ça ? Il montre une énorme plante verte dans un pot, par terre. Sur le mur et le plafond, au-dessus d'elle, l'humidité a fait une tache. Et cette tache dessine exactement sur ce mur une ombre possible de la plante. Picasso ne pardonne pas cette façon qu'a la réalité dans toutes les circonstances et dans tous les coins de se mettre à donner des leçons : Il ne faut pas qu'elle s'en mêle, elle aussi, dit-il. Ou alors c'est la fin de tout. » Cf. Parmelin, p. 121.

564. Pour une analyse de l'historique du projet depuis la commande initiale de 1921 jusqu'à l'inauguration en 1959 du buste de Dora Maar dédié au poète, cf. Read, p. 147-288.

565. « — Une statue en quoi ? demanda Tristousse. En marbre ? En bronze ?

— Non, c'est trop vieux, répondit l'oiseau du Bénin, il faut que je lui sculpte une profonde statue en rien, comme la poésie et comme la gloire.

— Bravo ! bravo ! dit Tristousse en battant des mains, une statue en rien, en vide, c'est magnifique, et quand la sculpterez-vous ? » Cf. Apollinaire 3, p. 301.

566. Carnet, Succ. 1044, dessin du 1er août 1928.

écartés de la jeune femme, là plantée sur quelque fourchette géante[566]. La même recherche se prolonge avec la petite huile de 1929 *Baigneuse au ballon*[567] (fig. 258). Son rapport au cliché de la jeune femme traduit une métamorphose d'autant plus lisible que le format réduit de la toile[568] pourrait être celui d'une épreuve photographique et que sa tonalité assourdie répond à la grisaille lumineuse du sable et du ciel. Tandis que les autres baigneurs se métamorphosent en cabines de bain cercueils[569], l'entité corporelle prêtée au modèle révèle, comme le fait ce cliché conservé par l'artiste d'un menuisier sans mains (fig. 260), la plus terrifiante adéquation fonctionnelle. Un ossuaire mortifère et sexué faisant à sa manière écho aux racines calcifiées ou aux accessoires érectiles d'*Objet*[570].

Mais Brassaï nous apprend aussi que pour ériger ce monument, Picasso utilise une fois de plus le guéridon rococo qui, déjà en 1911, portait la *Composition photographique, nature morte sur un guéridon*[571] (fig. 264). Orné d'une cordelière et de larges franges retombant sur un pied de fer forgé torse, le meuble appartient à l'univers picassien dès la période cubiste. Son caractère utilitaire a cependant pu rendre aveugle à sa fonction formelle. *Socle* des objets arrangés en vue de la photographie, l'ellipse du plateau vu en perspective inspirera au peintre le format en *tondo* qui apparaît au printemps 1911[572]. L'année suivante, avec *Nature morte à la chaise cannée*[573] (fig. 263), Picasso intègre au tableau une vraie corde tressée qui lui sert de cadre et un aplat de toile cirée imprimée. Dans ce « premier » *collage*, l'élément incorporé à la surface picturale introduit une double hétérogénéité puisque ce fragment d'objet réel est, en lui-même, porteur d'un illusionnisme « quasi photographique »[574]. Après avoir inspiré l'ovale de cette toile, la surface du guéridon, comme par une seconde mise au point, apparaît à la fois signifiée et imitée par le cannage factice[575]. Cette œuvre majeure se situe ainsi au point d'aboutissement d'un cycle entre réel, image photographique, fac-similé, dont le guéridon serait le centre. En 1911, ce dernier aura de surcroît fait partie de la mise en scène des photographies que Picasso avait prises de Marie Laurencin ou de Georges Braque[576] (fig. 130). L'expression rêveuse de ce dernier ferait de son portrait un équivalent des grands tableaux à clef tel *Les Ambassadeurs* d'Holbein : comme la tête de mort qui se dissimule par anamorphose, le guéridon où le képi rencontre une mandoline évoque quelque secrète Vanité. A la veille de l'invention des « papiers collés », il se montre ainsi dans toute son ambiguïté, à la fois objet usuel et déjà peinture ou possible sculpture. Ces clichés permettent par ailleurs d'en percevoir toute l'anatomie : outre le plateau couvert d'un tapis, il comporte trois pieds de fer ouvragé auxquels sont suspendus un panier de métal tressé et un second rang de franges. Ce meuble tout de textile et de métal est linéaire, à la fois plat et creux, divisé en ossature et revêtement. Dans le registre du baroque

---

567. 1er septembre 1929, MP 118. Cf. également *Baigneuse*, 15 août 1928, Z VII 224, le dessin *Baigneuse au ballon*, 18 septembre 1939, MP 1032, la toile *Baigneuse au bord de la mer*, 1932, Z VIII 147.

568. 21,9 x 14 cm.

569. Cette réification des personnages est à rapprocher de la façon dont la toile de 1908-1909, *Pains et compotiers aux fruits sur une table* (Z II* 134, D-R 220), avait transformé en nature morte les figures des études pour un *Carnaval au bistrot*.

570. La minéralisation du corps en une statuaire sommairement anthropomorphe évoque également les « reliefs de sable » réalisés en août 1930 à Juan-les-Pins, notamment *Baigneuse debout*, MP 124.

571. Selon Gertrude Stein, celle-ci apportait un tel changement à la vision de Picasso qu'il « n'était même pas nécessaire qu'il peignît le tableau », cf. Stein 2, p. 63. Cf. Baldassari 1, p. 15-16 et 126-131.

572. *Nature morte* (Z VI 1145, D-R 384). Simultanément, le motif d'un cordonnet torsadé devient avec *Verre et pomme* (Z II* 258, D-R 383) le signe emblématique du tapis recouvrant le guéridon.

573. Z II* 294, D-R 466, MP 36.

574. Cf. Rubin 4, p. 36. Artefact destiné au commerce ordinaire, la toile cirée visait, en effet, à l'exacte reproduction d'un cannage réel selon un procédé dérivé des techniques de l'impression photographique.

575. Ce dernier avec son motif entrecroisé n'est pas sans rapport avec cet étrange dessus de table tissé concentriquement au moyen d'une fine cordelette et portant un motif bicolore.

576. Cf. Baldassari 1, fig. 98 et 104. En 1911, le guéridon figure aussi sur plusieurs dessins, Z II* 253, 259 et 262 notamment.

ordinaire, cette dimension industrielle kitsch de la modernité naissante, sa dialectique du plein et du vide, de la ligne et de la surface, du plan et du tridimensionnel, exhibe des paradoxes formels comparables à ceux du masque Grebo dont Daniel-Henry Kahnweiler nota l'impact sur les constructions « cubistes » de Picasso[577]. Ainsi qu'en témoigne un dessin[578], le guéridon hantera d'ailleurs, aux côtés de ce masque, la salle à manger de Montrouge en 1917[579], où il porte dès lors la cage à oiseau d'Olga (fig. 267). Rue La Boétie, il règne au centre du petit salon[580] et donne lieu, fin 1919, à une extraordinaire série de variations graphiques sur le thème de la nature morte[581] où se manifeste bien sa vocation scénographique et sculpturale (fig. 265 et 266). Ayant rejoint l'atelier de l'artiste[582], il s'y fera, un temps, support pour cette étrange sculpture que fut *Objet*. Quelque vingt ans plus tard, à « La Californie », il sera à nouveau sous l'objectif de Jacqueline le théâtre où Picasso fait se mouvoir les objets de sa création (fig. 268 à 270). Cette fois-ci, des maquettes en attente de devenir tôles découpées. Sur le guéridon érigé en sellette de sculpteur, la prise de vue éprouve la singularité d'œuvres appartenant à une dimension interstitielle de l'espace, ni plane ni volumique. Picasso, manœuvrant prototypes et fond de papier, met en scène, agrège les objets, délimite ombres et lumières. Il improvise une forme nouvelle de dialogue ininterrompu, noué dès le début du siècle, aux confins du sculptural et du photographique.

577. Cf. Kahnweiler 1, p. 418. William Rubin a amplement analysé les rapports formels entre le masque Grebo et la construction *Guitare* de 1912 (Museum of Modern Art, New York), cf. Rubin 2, « Introduction », vol. 1, p. 18-21.
578. Z III 106, MP 795.
579. Entre-temps, le meuble avait figuré, en 1915, dans le portrait de Max Jacob exécuté rue Schoelcher.
580. Z III 427, MP 869.
581. Plusieurs dessins exécutés entre le 6 et le 11 novembre 1919 (Succ. 2523, 2525 R, 2526, 2526, 2536, 2537, 2540, pas dans Z) et Z VI 1352 et 1353. Cf. Léal 1, p. 35 et 37. On ajoutera à cette série la toile *Guéridon à la guitare devant la fenêtre* (1919, Succ. 12220).
582. En témoigne, dès mars 1920, le dessin MP 895.

Fig. 267
La Salle à manger de l'artiste à Montrouge. Montrouge, 9 décembre 1917.
Mine de plomb sur papier. 27,7 x 22,6 cm. Paris, musée Picasso

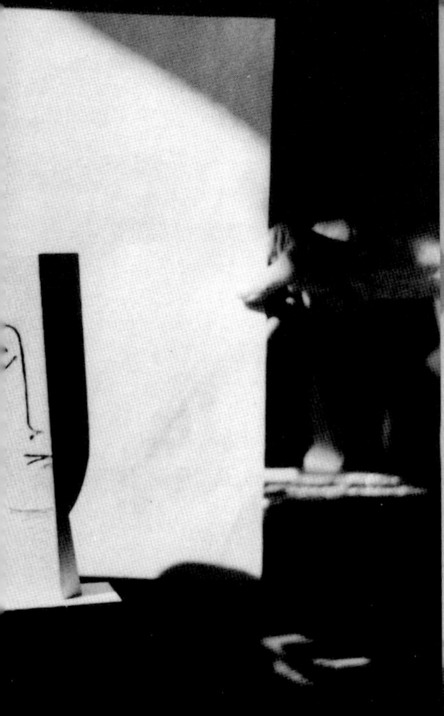

Fig. 269
Jacqueline Picasso
Cannes, « La Californie », vers 1961
Mise en scène des sculptures
« Tête d'homme », « Tête de femme »,
« Tête d'homme barbu »
et « Personnage »
Epreuve gélatino-argentique
24 x 30 cm
Paris, archives Picasso

Fig. 270
Jacqueline Picasso
Cannes, « La Californie »,
vers 1961
Picasso éclairant ses sculptures
pour la prise de vue
Epreuve moderne
d'après le négatif original
Paris, archives Picasso

Bibliographie

Les références d'œuvre données en note
de bas de page ou dans les légendes renvoient
aux inventaires et catalogues suivants :
MP : musée Picasso, Paris,
numéro d'inventaire.
AP : archives Picasso, musée Picasso, Paris,
numéro d'inventaire des photographies.
MPB : Museu Picasso, Barcelone,
numéro d'inventaire.
Z : ZERVOS, Christian, *Pablo Picasso*, Paris,
éditions Cahiers d'art, vol. I, 1932,
à vol. XXXIII, 1978.
D-B : DAIX, Pierre et BOUDAILLE, Georges,
*Picasso 1900-1906, catalogue raisonné
de l'œuvre peint*, Neuchâtel,
Ides et Calendes, 1966, réédition 1988.
D-R : DAIX, Pierre et ROSSELET, Joan,
*Le Cubisme de Picasso, catalogue raisonné
de l'œuvre peint 1907-1916*, Neuchâtel,
Ides et Calendes, 1979.
Baer : BAER, Brigitte, *Picasso peintre-
graveur*, Berne, Kornfeld, tome I   272
à VII, 1986-1996.
Glimcher : GLIMCHER, Arnold et Marc
(sous la direction de), *Je suis le cahier :
les carnets de Picasso*, Paris, Bernard Grasset,
1986.
Spies : SPIES, Werner, *Picasso, Das Plastische
Werk*, Stuttgart, Verlag Gerd Hatje, 1983.

Sauf mention contraire, toutes les œuvres
et photographies reproduites dans
ce catalogue sont de Pablo Picasso.
Les indications figurant entre crochets
restent incertaines ou sont soumises
par nous au débat. Pour les cartes postales,
la date avancée est celle de la publication
et l'éditeur peut, dans certains cas,
se confondre avec l'auteur de la prise
de vue .

A

ADES
ADES, Dawn, *Photomontage*, New York, Pantheon Books, 1976.

ALBERTI
ALBERTI, *De la peinture*, 1435, traduction par Jean-Louis Schefer, Paris, Macula Dédale, 1992.

APOLLINAIRE 1
APOLLINAIRE, Guillaume, « A propos de l'art des noirs », *Sculptures nègres*, Paris, chez Paul Guillaume, 1917.

APOLLINAIRE 2
APOLLINAIRE, Guillaume, Présentation du Ballet « Parade », mai 1917, *Œuvres complètes en prose*, Paris, La Pléiade, vol. 2, 1991.

APOLLINAIRE 3
APOLLINAIRE, Guillaume, *Le Poète assassiné*, 1916, Paris, Gallimard, 1979.

B

BALDASSARI 1
BALDASSARI, Anne, *Picasso photographe, 1901-1916*, Paris, Réunion des musées nationaux, 1994.

BALDASSARI 2
BALDASSARI, Anne, *Picasso et la photographie, « A plus grande vitesse que les images »*, Paris, Réunion des musées nationaux, 1995.

BALDASSARI 3
BALDASSARI, Anne, « La tête, le visage, le corps... De quelques usages du portrait photographique », *Picasso et le portrait*, sous la direction de William Rubin, Paris, Réunion des musées nationaux, 1996.

BARR JR
BARR JR, Alfred H., *Picasso, Fifty Years of His Art*, New York, The Museum of Modern Art, 1946.

BARTHES 1
BARTHES, Roland, *Wilhelm von Gloeden*, Milan, Amelio editore, 1979.

BARTHES 2
BARTHES, Roland, *La Chambre claire, Note sur la photographie,* Paris, Cahiers du cinéma, Gallimard, Seuil, 1980.

BATAILLE
BATAILLE, Georges, « Soleil pourri », *Document*, n° 2, 1930.

BAZIN
BAZIN, André, « Ontologie de la photographie », 1945, *Qu'est-ce que le cinéma ?*, Paris, éd. du Cerf, 1994.

BENJAMIN
BENJAMIN, Walter, « Petite histoire de la photographie », 1931, *Essais I, 1922-1934*, Paris, Denoël-Gonthier, 1983.

BERGERET ET DROUIN
BERGERET, A. et DROUIN, F., *Les Récréations photographiques*, Paris, Ch. Mendel, 1891.

BERNADAC
BERNADAC, Marie-Laure, « De Manet à Picasso : l'éternel retour », *Bonjour, Monsieur Manet*, Paris, centre Georges Pompidou, 1983.

BLUNT
BLUNT, Anthony, « Picasso's Classical Period (1917-25) », *Burlington Magazine*, n° 781, avril 1968.

BOEHM
BOEHM, Gottfried, « Pablo Picasso : les tableaux italiens », *Canto d'Amore, modernité et classicisme dans la musique et les beaux-arts entre 1914 et 1935*, édité sous la direction de Gottfried Boehm, Ulrich Mosch, Katharina Schmidt, Bâle, Kunstmuseum, 1996.

BOIS ET KRAUSS
BOIS, Yve-Alain et KRAUSS Rosalind, *L'Informe, mode d'emploi*, Paris, centre Georges Pompidou, 1995.

BOURET
BOURET, J., « Une amitié esthétique au début du siècle : Apollinaire et Paul Guillaume (1911-1918) d'après une correspondance inédite », *Gazette des Beaux-Arts*, décembre 1970.

BRASSAI
BRASSAI, *Conversations avec Picasso*, Paris, Gallimard, 1964, réédition 1986.

BRETON
BRETON, André, « Picasso dans son élément », *Le Minotaure*, n° 1, 1933.

BRODERSEN,
BRODERSEN, Waltraud, « Medienreflexion als Methode künstlerischer Arbeit, Pablo Picasso, von der Blauen Periode bis Guernica », *Absolute Modern Sein, Culture technique in Frankreich 1889-1937*, Berlin, Elefanten Press, 1986.

C

CACHIN ET MOFFETT
CACHIN, Françoise et MOFFETT, Charles S. (sous la direction de), *Manet*, Paris, Réunion des musées nationaux, 1983.

CACHIN ET RISHEL
CACHIN, Françoise et RISCHEL, Joseph J. (sous la direction de), *Cézanne*, Paris, Réunion des musées nationaux, 1995.

CAILLOIS
CAILLOIS, Roger, « Mimétisme et psychasthénie légendaire », *Le Minotaure*, 1935, n° 7.

CAIZERGUES, Pierre et SECKEL, Hélène (éd.), *Picasso / Apollinaire, Correspondance*, Paris, Gallimard, Réunion des musées nationaux, 1992

CARADENTE
CARADENTE, Giovanni, « Picassos 'Italienische Reise' », *Pablo Picasso, Sammlung Marina Picasso*, sous la direction de Werner Spies, Munich, Prestel-Verlag, 1981.

CASSOU
CASSOU, Jean, *Picasso*, Paris, Londres, Hyperion Press, 1940.

CHERCHI USAI
CHERCHI USAI, Paolo, « Le nitrate mécanique. L'imagination de la couleur comme science exacte (1830-1928) », *La Couleur en cinéma*, sous la direction de Jacques Aumont, Paris, Mazotta, Cinémathèque française, 1995.

CIRICI PELLICER
CIRICI PELLICER, Alexandre, *El Arte Modernista Catalan*, Barcelone, Ayma, 1951.

COQUIOT
COQUIOT, Gustave, *Cézanne*, Paris, librairie Ollendorff, 1913.

D

DAGEN
DAGEN, Philippe, « L'"exemple égyptien" : Matisse, Derain et Picasso entre fauvisme et cubisme (1905-1908) », *Bulletin de la société des historiens d'art français*, 1984.

DAIX 1
DAIX, Pierre, « La période bleue de Picasso et le suicide de Carlos Casagemas », *Gazette des Beaux-Arts*, avril 1967.

DAIX 2
DAIX, Pierre, « Il n'y a pas "d'art nègre" dans *Les Demoiselles d'Avignon* », *Gazette des Beaux-Arts*, octobre 1970.

DAIX 3
DAIX, Pierre, *La Vie de peintre de Pablo Picasso*, Paris, Seuil, 1977.

DAIX 4
DAIX, Pierre, « L'Historique des *Demoiselles d'Avignon* révisé à l'aide des Carnets de Picasso », *Les Demoiselles d'Avignon*, sous la direction d'Hélène Seckel, Paris, Réunion des musées nationaux, 1988, vol. 2.

DAIX 5
DAIX, Pierre, *Dictionnaire Picasso*, Paris, Robert Laffont, collection Bouquins, 1996.

DAIX 6
DAIX, Pierre, « Du primitivisme au cubisme synthétique et au-delà », *Picasso et le Portrait*, sous la direction de William Rubin, Paris, Réunion des musées nationaux, 1996.

DAIX ET BOUDAILLE
DAIX, Pierre et BOUDAILLE, Georges, *Picasso, 1900-1906. Catalogue raisonné de l'œuvre peint*, Neuchâtel, Ides et Calendes, 1966.

DAIX ET ROSSELET
DAIX, Pierre et ROSSELET, Joan, *Le Cubisme de Picasso, Catalogue raisonné de l'œuvre peint, 1907-1916*, Neuchâtel, Ides et Calendes, 1979.

DAMISCH
DAMISCH, Hubert, *Traité du trait*, Paris, Réunion des musées nationaux, 1995.

DAVID 1
DAVID, Philippe, « Voyage Fortier au Soudan ex-français (Mali) en 1906 », *Catalogue Neudin de la carte postale*, 1986.

DAVID 2
DAVID, Philippe, *Inventaire général des cartes postales Fortier*, Paris, chez l'auteur, ronéoté, 3 vol., 1986-1988.

DILLAYE
DILLAYE, Frédéric, *L'Art en photographie*, Paris, La Librairie illustrée, 1897.

DOÑATE
DOÑATE, Mercè, « Las actividades artísticas de Els Quatre Gats », *Picasso y Els Quatre Gats*, sous la direction de Maria Teresa Ocaña, Barcelone, Museu Picasso de Barcelona, Lunwerg Editores, 1995.

DUCASSE
DUCASSE, Isidore, comte de Lautréamont, « Les Chants de Maldoror », 1869, *Œuvres complètes*, Paris, NRF, Poésie/Gallimard, 1994.

F

FAGUS
FAGUS, Félicien, « L'invasion espagnole : Picasso », *La Revue blanche*, t. XXVII, n° 195, 15 juillet 1901.

FAURE
FAURE, Elie, « Peinture d'aujourd'hui », *Cahiers d'art*, 2, 1926.

FERMIGIER
FERMIGIER, André, *Picasso*, Paris, Le Livre de poche, 1969.

FITZGERALD
FITZGERALD, Michael C., « Le dilemne des modernistes, le néoclassicisme et les portraits d'Olga Khokhlova », *Picasso et le portrait*, sous la direction de William Rubin, Paris, Réunion des musées nationaux, 1996.

FREUND
FREUND, Gisèle, *Photographie et société*, Paris, Seuil, collection « Points Histoire », 1974.

G

GALA
GALA, Isabelle, *Des sauvages au jardin (les exhibitions ethnographiques au Jardin zoologique d'acclimatation de 1877 à 1912)*, document ronéoté, s.d.

GALASSI
GALASSI, Susan Grace, « Picasso's "The Lovers" of 1919 », *Arts Magazine*, février 1982.

GARNIER
GARNIER, François (éd.), *Max Jacob, Correspondance,* Paris, Éditions de Paris, t. I (1876-1921), 1953, t. II (1921-1924), 1955.

GASQUET
GASQUET, Joachim, *Cézanne,* Paris, Berheim-Jeune, 1926.

GLOEDEN, PLÜSCHOW ET GALDI
Wilhelm von Gloeden, Wilhelm von Plüschow, Vincenzo Galdi, Italienische Jünglings Photographien um 1900, Berlin, galerie Janssen, 1991.

GOETHE
GOETHE, J. W., *Traité des couleurs*, 1810, réédition, Paris, Triades, 1980.

GUILLAUME
GUILLAUME, Paul, *Sculptures nègres*, portfolio de 24 photographies édité à 64 exemplaires, Paris, chez Paul Guillaume, 25 avril 1917.

H

HENNING
HENNING, Edward B., « Picasso: Harlequin With Violin (Si Tu Veux) », *The Bulletin of The Cleveland Museum of Art*, janvier 1976.

HUYSMANS
HUYSMANS, Joris-Karl, « L'Exposition des Indépendants en 1880 », *L'Art moderne*, Paris, Charpentier, 1883, republié *in Les Écrivains devant l'impressionnisme*, textes réunis et présentés par Denys Riout, Paris, Macula, 1989.

J

JACOB
JACOB, Max, « La Vie artistique », texte illustré par un portrait par Francis Picabia, *291*, n° 10-11, décembre 1915-janvier 1916.

JUDSON CLARK ET BURLEIGH-MOTLEY
JUDSON CLARK, Robert et BURLEIGH-MOTLEY, Marian, « New Sources for Picasso's 'Pipes of Pan' », *Arts Magazine*, vol. 55, n° 2, octobre 1980.

K

KAHNWEILER 1
KAHNWEILER, Daniel-Henry, « Negro art and Cubism », *Horizon*, Londres, 18, n° 108, 1948.

KAHNWEILER 2
KAHNWEILER, Daniel-Henry, *Juan Gris, sa vie, son œuvre, ses écrits*, Paris, Gallimard, 1946, réédition Folio, 1990.

KAHNWEILER 3
KAHNWEILER, Daniel-Henry, *Les Sculptures de Picasso*, Paris, Chêne, 1948.

KAHNWEILER 4
KAHNWEILER, Daniel-Henry « Huit entretiens avec Picasso », *Le Point*, Mulhouse, octobre 1952.

KAHNWEILER 5
KAHNWEILER, Daniel-Henry, « Picasso et le cubisme », Lyon, musée de Lyon, 1953.

KAHNWEILER 6
KAHNWEILER, Daniel-Henry, *Mes galeries et mes peintres, Entretiens avec Francis Crémieux*, Paris, Gallimard, 1961.

KARMEL
KARMEL, Pepe, *Picasso's Laboratory: The Role of His Drawings in the Development of Cubism, 1910-1914*, Thèse de doctorat, New York University, 1993.

KLARY
KLARY, C., *La Photographie de nu*, Paris, 1902.

KRAUSS 1
KRAUSS, Rosalind, « Re-presenting Picasso », *Art in America*, décembre 1980, p. 92.

KRAUSS 2
KRAUSS, Rosalind, « Notes sur l'index », 1977, *L'Originalité de l'avant-garde et autres mythes modernistes*, Paris, Macula, 1993.

L

LACAMBRE
LACAMBRE, Geneviève (sous la direction de), *Le Japonisme*, Paris, Réunion des musées nationaux, 1988.

LAROUSSE,
LAROUSSE, Pierre, *Grand dictionnaire universel du XIXᵉ siècle*.

LÉAL 1
LÉAL, Brigitte, « La nature morte entre cubisme et classicisme : essai sur le "donjuanisme" de Picasso », *Picasso & les choses, Les Natures mortes*, sous la direction de Jean Sutherland Boggs et Marie-Laure Bernadac, Paris, Réunion des musées nationaux, 1992.

LÉAL 2
LÉAL, Brigitte, *Musée Picasso, Carnets, Catalogue des dessins*, Paris, Réunion des musées nationaux, 1996.

LEBENSZTEJN
LEBENSZTEJN, Jean-Claude, *L'Art de la tache, Introduction à la Nouvelle Méthode d'Alexander Cozens*, Paris, Limon, 1990.

LEE WEBB
LEE WEBB, Virginia, « Art as Information. The African Portfolios of Charles Sheeler and Walker Evans », *African Arts*, janvier 1991.

LEJA
LEJA, Michael, « "Le vieux marcheur" and "Les deux risques", Picasso, Prostitution, Veneral Disease, and Maternity, 1899-1907 », *Art History*, Oxford, vol. 8, n° 1, mars 1985.

LEMAGNY
LEMAGNY, Jean-Claude, *Taormina, début de siècle*, photographies du baron de Gloeden, Paris, Chêne, 1975.

LEYMARIE
LEYMARIE, Jean, *Picasso, métamorphose et unité*, Genève, Skira, 1971.

M

MAGNUS
MAGNUS, Hugo, *Histoire de l'évolution du sens de la couleur*, Paris, C. Reinwald et Cie, 1878.

MAHAUT
MAHAUT, Henri, *Picasso*, Paris, C. Grès, 1930.

MALRAUX
MALRAUX, André, *La Tête d'obsidienne*, Paris, Gallimard, 1974.

MARINETTI
MARINETTI, Filippo Tommaso, « Il Teatro di varietà, Manifesto futurista », *Lacerba*, 1913, n° 19.

MESCATARI
MESCATARI, Oscar, *Fregoli, dal caffé concerto al teatro*, Rome, 1893.

METKEN
METKEN, Günther, « Pablo Picasso : L'Italienne », *Canto d'Amore...*, édité sous la direction de Gottfried Boehm, Ulrich Mosch, Katharina Schmidt, Bâle, Kunstmuseum, 1996.

MORNING
MORNING, Alice (pseudonyme de Beatrice Hasting), « Impressions of Paris », *The New Age*, vol. XVI, 28 janvier 1915.

N

NEIL
NEIL, Edward, *Niccolo Paganini*, Paris, Fayard, 1991.

NOVOTNY
NOVOTNY, Fritz, *Cézanne*, Vienne, The Phaïdon Press, New York, Oxford University Press, 1937.

O

OBERTHÜR
OBERTHÜR, Marie, *Le Chat Noir*, Paris, musée d'Orsay, Réunion des musées nationaux, 1992.

P

PÄCHT
PÄCHT, Otto, « Alois Riegl : optique et haptique », *Questions de méthode en histoire de l'art*, Paris, Macula, 1994.

PALAU I FABRE
PALAU I FABRE, Josep, *Picasso vivant, 1881-1907*, Paris, Albin Michel, 1990.

PARIGORIS
PARIGORIS, Alexandra, « Picasso und die Antike », *Picassos Klassizismus*, sous la direction d'Ulrich Weisner, Bielefeld, Kunsthalle, 1988.

PARMELIN
PARMELIN, Hélène, *Picasso dit*, Paris, Gonthier, 1966.

PAUDRAT
PAUDRAT, Jean-Louis, « Afrique », *Le Primitivisme dans l'art du XXᵉ siècle*, sous la direction de William Rubin, Paris, Flammarion, 1985.

PEIRCE
PEIRCE, Charles S., *Écrits sur le signe*, rassemblés, traduits et commentés par Gérard Deledalle, Paris, Seuil, collection « L'Ordre philosophique », 1978.

PENROSE 1
PENROSE, Roland, *Picasso, His Life and Work*, Londres, Gollanez, 1958.

PENROSE 2
PENROSE, Roland, *Picasso*, Paris, Flammarion, 1982, réédition 1996.

PEYREFITTE
PEYREFITTE, Roger, *Les Amours singulières*, Paris, Jean Vigneau, 1947.

PICABIA
PICABIA, Francis, sous le pseudonyme de Pharamousse, « Odeurs de partout », *391*, nº 1, janvier 1917.

PICASSO 1
PICASSO, Pablo, « Picasso Speaks, A Statement by the Artist », propos recueillis par Marius De Zayas, *The Arts*, nº 5, mai 1923.

PICASSO 2
PICASSO, Pablo, « Lettre sur l'art », extraits publiés in *Formes*, nº 2, février 1930.

PLINE L'ANCIEN
PLINE L'ANCIEN, *Histoire Naturelle*, texte et traduction française, Paris, Les Belles Lettres, Livre XXXV, 1985, et Livre XXXVI, 1981.

POOL
POOL, Phoebe, « Picasso's Neo-Classicism: First Period, 1905-1906 », *Apollo*, février 1965.

PROCHASKA
PROCHASKA, David, « French Postcards Views of Colonial Senegal », *African Arts*, octobre 1991, nº 4.

PROD'HOMME
PROD'HOMME, J. G., *Paganini*, Paris, Henri Laurens, 1932.

PROUST
PROUST, Antonin, *Edouard Manet, Souvenirs*, Paris, librairie Renouard, H. Laurens, 1913.

R

RAQUEZ
RAQUEZ, A., *Pages laotiennes, Notes de voyage*, Hanoi, Schneider, 1902.

RAYNAL
RAYNAL, Maurice, *Picasso*, Paris, C. Grès, 1922.

READ
READ, Peter, *Picasso et Apollinaire, les métamorphoses de la mémoire 1905-1973*, Paris, Jean-Michel Place, 1995.

REFF 1
REFF, Theodore, « Picasso and the Circus », *Essays in Archeology and the Humanities*, Mayence, Verlag Philipp von Zabern, 1976.

REFF 2
REFF, Theodore, « Picasso's *Three Musicians*, Maskers, Artists and Friends », *Art in America*, octobre 1980.

REFF 3
REFF, Theodore, « Themes of Love and Death in Picasso's Early Works », 1973, republié, *Picasso in Retrospective*, New York, Harper and Row, 1980.

REVERDY
REVERDY, Pierre, « Sur le cubisme », *Nord-Sud*, 15 mars 1917.

RICHARDSON 1
RICHARDSON, John, *Vie de Picasso, volume I 1881-1906*, Paris, Chêne, 1992.

RICHARDSON 2
RICHARDSON, John, *A Life of Picasso, 1907-1917: The Painter of Modern Life*, Londres, Jonathan Cape, 1996.

RICHET
RICHET, Michèle, *Musée Picasso, Paris, Catalogue sommaire des collections*, II, Paris, Réunion des musées nationaux, 1987.

RIVIERE
RIVIERE, Georges, *Renoir et ses amis*, Paris, Floury, 1921.

RUBIN 1
RUBIN, William (sous la direction de), *Pablo Picasso, A Retrospective*, New York, The Museum of Modern Art, 1980.

RUBIN 2
RUBIN, William (sous la direction de), *Le Primitivisme dans l'art du XXᵉ siècle*, Paris, Flammarion, 1985.

RUBIN 3
RUBIN, William, « La genèse des *Demoiselles d'Avignon* », *Les Demoiselles d'Avignon*, sous la direction d'Hélène Seckel, Paris, Réunion des musées nationaux, 1988, vol. 2.

RUBIN 4
RUBIN, William, *Picasso and Braque, Pioneering Cubism*, New York, The Museum of Modern Art, 1989.

RUBIN 5
RUBIN, William (sous la direction de), *Picasso et le portrait*, Paris, Réunion des musées nationaux, 1996.

S

SABARTES 1
SABARTES, Jaime, *Picasso, portraits et souvenirs*, Paris, Louis Carré et Maximilien Vox, 1946.

SABARTES 2
SABARTES, Jaime, *Picasso, documents iconographiques*, Genève, Pierre Cailler, 1954.

SAILLET
SAILLET, Maurice, « Les Inventeurs de Lautréamont », *Les Lettres Nouvelles*, avril, mai, juin, juillet 1954.

SALMON
SALMON, André, « Histoire anecdotique du cubisme », *La Jeune Peinture française*, Paris, société des trente, Albert Messein, 1912.

SCHAPIRO 1
SCHAPIRO, Meyer, « Picasso's Woman with a Fan, On Transformation and Self-Transformation », 1976, republié in *Modern Art, 19th and 20th Centuries, Selected Papers*, New York, George Braziller, 1982.

SCHAPIRO 2
SCHAPIRO, Meyer, « Courbet and Popular Imagery, An Essay on Realism and Naïveté », 1941, republié in *Modern Art, 19th and 20th Centuries, Selected Papers*, New York, George Braziller, 1982.

SCHARF
SCHARF, Aaron, *Art and Photography*, 1968, réédition Etats-Unis, Penguin Books, 1986.

SCHMIDT
SCHMIDT, Katharina, « Le sentier vers les sources », *Canto d'amore...*, édité sous la direction de Gottfried Boehm, Ulrich Mosch, Katharina Schmidt, Bâle, Kunstmuseum, 1996.

SECKEL 1
SECKEL, Hélène (sous la direction de), *Les Demoiselles d'Avignon*, Paris, Réunion des musées nationaux, 2 vol., 1988.

SECKEL 2
SECKEL, Hélène, « Les Premiers communiants », *Picasso, une nouvelle dation*, Paris, Réunion des musées nationaux, 1990.

SECKEL 3
SECKEL, Hélène, *Max Jacob et Picasso*, Paris, Réunion des musées nationaux, 1994.

SECKEL 4
SECKEL, Hélène, « Portraits de poètes. A propos de trois portraits-manifestes par Picasso : André Salmon, Apollinaire et Max Jacob », *Picasso et le portrait*, sous la direction de William Rubin, Paris, Réunion des musées nationaux, 1996.

SHEELER
SHEELER, Charles, *Exhibition of African Negro Sculpture*, New York, Modern Gallery, Marius De Zayas, 1918.

SILVER
SILVER, Kenneth E., *Vers le retour à l'ordre, L'Avant-garde parisienne et la Première Guerre mondiale*, Paris, Flammarion, 1991.

SPIES 1
SPIES, Werner, *Pablo Picasso, Eine Ausstellung zum hundertsten Geburtstage, werke aus des Sammlung Marina Picasso*, Munich, Prestel Verlag, 1981.

SPIES 2
SPIES, Werner, *Picasso, Das Plastiche Werk*, Stuttgart, Verlag Gerd Hatje, 1983.

SPIES 3
SPIES, Werner, « *Parade* : La démonstration antinomique. Picasso aux prises avec les *scene popolari di Napoli* d'Achille Vianelli »,

« *Il se rendit en Italie* », *Etudes offertes à André Chastel*, Edizioni dell' Elefante, Paris, Flammarion, 1987.

STEIN 1
STEIN, Gertrude, *Autobiographie d'Alice Toklas*, 1934, réédition, Paris, Gallimard, 1974.

STEIN 2
STEIN, Gertrude, *Picasso*, Paris, Floury, 1938.

STEINBERG
STEINBERG, Leo, « Le Bordel philosophique » (1972), traduction révisée, *Les Demoiselles d'Avignon*, sous la direction d'Hélène Seckel, Paris, Réunion des musées nationaux, 1988, vol. 2.

STRAVINSKY
STRAVINSKY, Igor, *Chroniques de ma vie*, Paris, Denoël, 1962.

SUTHERLAND BOGGS ET BERNADAC
SUTHERLAND BOGGS, Jean et BERNADAC, Marie-Laure (sous la direction de), *Picasso & les choses, Les Natures mortes*, Paris, Réunion des musées nationaux, 1992.

T

TÉRIADE
TÉRIADE, Elfstratios, « En causant avec Picasso », *L'Intransigeant*, 15 juin 1932, republié dans *Verve*, n° 19-20, 1948.

TINTEROW
TINTEROW, Gary, *Master Drawings by Picasso*, Cambridge, Massachussets, Fogg Art Museum, 1981.

U

UHDE
UHDE, Wilhelm, *Picasso et la tradition française*, Paris, Les Quatre Chemins, 1928.

V

VAN DEREN COKE
VAN DEREN COKE, *The Painter and the Photograph, from Delacroix to Warhol*, Albuquerque, University of Mexico Press, 1972, réédition 1986.

VARNEDOE
VARNEDOE, Kirk, « Les Autoportraits de Picasso », *Picasso et le portrait*,

sous la direction de William Rubin, Paris, Réunion des musées nationaux, 1996.

VERDONE
VERDONE, Mario, *Spettacolo Romano*, Rome, Golem, 1970.

VIATTE
VIATTE, Françoise, « La couleur du peintre », *Sublime Indigo*, Musées de Marseille, Paris, éditions Vilo, 1987.

VINCI
VINCI, Léonard de, *Le Traité de la peinture*, 1490, traduit et présenté par André Chastel, Nancy, Berger-Levrault, 1987.

VOLTA
VOLTA, Ornella (sous la direction de), *Erik Satie, del Chat noir a Dadá*, Valence, IVAM Centre Julio González, 1996.

W

WARNCKE
WARNCKE, Carsten-Peter, *Pablo Picasso 1881-1973*, Cologne, Benedikt Taschen Verlag, 1992.

Z

ZERVOS 1
ZERVOS, Christian, « Picasso étudié par le Dr Jung », *Cahiers d'art*, 8-10, 1932.

ZERVOS 2
ZERVOS, Christian, « Conversation avec Picasso », *Cahiers d'art*, 7-10, 1935.

ZERVOS 3
ZERVOS, Christian, « Introduction aux dessins de Picasso », *Cahiers d'art*, 1, 1948.

Publication du département
de l'édition dirigé
par Anne de Margerie

COORDINATION ÉDITORIALE
Bernadette Caille

RELECTURE DES TEXTES
Sylvie Daumal

FABRICATION
Jacques Venelli

CONCEPTION GRAPHIQUE
Compagnie Bernard Baissait
Bernard Lagacé

RECHERCHE ICONOGRAPHIQUE
Caroline de Lambertye
Ivan de Monbrison
Evelyne David

Cet ouvrage a été achevé d'imprimer
en février 1997 au Plessis-Robinson,
sur les presses de l'Imprimerie Blanchard,
qui s'est également chargée de la photogravure.
Façonnage SFR, Bourg-la-Reine.

Dépôt légal : mars 1997

ISBN 2-7118-3530-8
EC 50 35 30